Harlequin Tentation ™

Quand la passion bouleverse une vie...

*Vous résistez à tout sauf
à la tentation?
Alors, cédez à votre envie...*

Les héroïnes
de la série Harlequin Tentation
vivent une passion si intense,
une sensualité si enivrante,
que vous ne regretterez pas
de vibrer avec elle...

D0774503

Marion Smith Collins

Tu m'as ensorcelé...

HARLEQUIN

*Cet ouvrage a été publié en langue anglaise
sous le titre :*

THIS TIME, THIS MOMENT

Publié originellement par
Harlequin Books, Toronto, Canada

© 1985, Marion Smith Collins
© 1986, traduction française : Edimail S.A.
53, avenue Victor-Hugo, Paris XVIe - Tél. 45.00.65.00
ISBN 2-280-12107-7
ISSN 0758-9646

CHAPITRE PREMIER

Rosemary Addison ressentait les affres de l'attente. La lumière adoucie par l'abat-jour allumait des reflets dans sa chevelure de jais. Elle inspectait la table pour la troisième fois avec une nervosité dont elle n'était pas coutumière, déplaçant inutilement un verre ou réajustant le pli impeccable d'une serviette. Un cendrier ! Voilà ce qu'il manquait ! Un claquement sec de ses doigts rompit le silence de la maison. A moins que Ryan n'ait tenu sa résolution de cesser de fumer, il lui faudrait un cendrier.

Elle pivota sur ses hauts talons, faisant tourner sa robe dans un bruissement de soie et traversa la pièce jusqu'à un placard dissimulé derrière le bar. Elle en choisit un qu'elle affectionnait particulièrement. Il avait appartenu à son père. Elle en profita pour vérifier les alcools. Des carafes de cristal ciselé à collier d'argent étaient remplies pour la plupart. Du scotch et du cognac pour Ryan, du vermouth rouge pour elle-même... N'avait-elle rien oublié ?

La sonnette retentit. Rosemary sursauta et le cendrier lui échappa des mains, rebondissant sur la moquette. Que lui arrivait-il ? Le ramassant à la hâte, elle manqua

une nouvelle fois de le briser en le posant un peu trop
brutalement sur le comptoir du bar. Pourquoi se sen-
tait-elle si nerveuse à l'idée de revoir un vieil ami comme
Ryan ? se demanda-t-elle, étonnée.

Elle avança jusqu'à la porte d'entrée. Toutefois, avant
de tourner la poignée, elle prit soin de vérifier que les
bretelles fines de sa robe rouge cerise étaient bien en
place et de réajuster la ceinture de cuir tressé autour de sa
taille fine.

Se décidant enfin à ouvrir, elle tendit les bras vers
l'homme de grande taille, habillé à la perfection qui se
tenait devant elle.

— Ryan, dit-elle doucement.

Son bonheur de le revoir se lisait dans ses yeux et en
avivait les profondeurs émeraude.

Ryan Tarleton prit les mains de Rosemary entre les
siennes et, pendant un instant, il l'enveloppa d'un regard
admiratif. Puis, s'approchant d'elle, il déposa un léger
baiser sur son front. Les senteurs boisées de son after-
shave luxueux flottèrent autour d'elle et le contact de sa
moustache sur sa peau la fit sourire. Affectueusement, il
passa un bras autour des épaules de Rosemary.

— Tu es plus belle que jamais, Rosie, déclara-t-il
gaiement.

Ce compliment qui n'était souvent qu'une salutation
banale, sans signification, de la part des relations de
Rosemary, était empreinte d'une sincérité touchante
dans la bouche de Ryan. Elle s'émerveilla une nouvelle
fois que, même après ses années d'études à Harvard, son
accent du Sud soit encore si chantant.

Bien qu'elle ne vît Ryan que quatre ou cinq fois par
an, lorsqu'il devait se rendre à New York pour affaires, le
plaisir qu'elle goûtait en sa compagnie était toujours
aussi grand. Il n'y avait aucune gêne entre eux, ce qui
n'était pas le cas avec les nombreux amis de Rosemary.

— Merci, toi aussi, tu me parais dans une forme superbe.

Ryan était toujours d'une élégance méticuleuse, et savait s'habiller avec originalité. Son costume gris faisait ressortir la couleur argentée de ses yeux. Le soleil de la Géorgie avait hâlé sa peau qui contrastait avec la blancheur de sa chemise. Ses cheveux noirs étaient coupés à la perfection. Sa mâchoire carrée ne démentait pas la fermeté de son caractère.

— Je suis heureuse que tu sois venu, dit-elle, espérant qu'il ne remarquerait pas l'émotion qui transparaissait dans sa voix.

— Tu m'as manqué, tu sais ?

Pendant quelques secondes, elle laissa sa tête reposer sur la large poitrine de Ryan.

Ces derniers temps, elle avait souvent regretté sa force tranquille, son charme désinvolte et sa patience envers son caractère parfois difficile. Elle leva ses grands yeux vers lui et le gratifia d'un sourire chaleureux.

— Ces quatre mois m'ont paru bien longs. D'habitude, tu viens plus souvent me voir.

Il ne fut pas dupe de son enjouement forcé.

— As-tu des ennuis, Rosie ?

Ses bras se resserrèrent autour d'elle. Elle leva les doigts vers la joue fraîchement rasée de son ami, incapable de résister à l'envie du contact de ses mains sur la peau de Ryan. Elle se sentait si seule ! Elle avait besoin de cette chaleur humaine qui faisait tellement défaut à sa vie.

— Non, mentit-elle.

Reculant d'un pas, elle l'invita à entrer au salon. Passant devant Rosemary, il pénétra dans la pièce, regardant silencieusement autour de lui. Tout n'était que chromes, glaces, cristal, acier. Les surfaces incroyablement lisses et brillantes reflétaient les petites étincelles de la lumière des chandeliers. C'était un intérieur résolument moderne, luxueux et contemporain.

Cet examen minutieux du living lui laissa le temps de réfléchir. Elle avait abandonné son petit appartement confortable et intime pour emménager dans cette villa fastueuse de la Cinquième Avenue, qui avait été la demeure de son père jusqu'à son décès. C'était la première fois que Ryan lui rendait visite dans cette maison depuis qu'elle y habitait.

Les doutes que son esprit avait nourris devant la nervosité excessive de Rosemary s'avéraient confirmés. Il pressentait que des événements graves étaient venus troubler sa vie.

Les signes extérieurs de son agitation l'intriguaient : les mouvements incessants de ses mains qui accompagnaient la moindre de ses paroles, son regard fuyant, sa voix plus aiguë qu'à l'habitude, tout cela ne ressemblait guère à Rosemary. Cette pièce à l'atmosphère glacée ajoutait au malaise qu'il ressentait devant l'attitude étrange de la jeune femme.

Le regard de Rosemary embrassa la pièce à son tour. Vu au travers des yeux de Ryan, le salon lui parut dénué de tout attrait. Comment pouvait-elle ne pas l'avoir remarqué plus tôt ? Cette maison avait été un écrin parfait pour l'homme sophistiqué et distingué qu'avait été son père.

Elle se tourna vers Ryan.

— Que penses-tu de ma nouvelle habitation ? demanda-t-elle, sur un ton qu'elle voulut enthousiaste.

— Qu'as-tu fait de tes meubles ?

— Je les ai confiés à un garde-meuble. J'avais besoin de changer de décor.

La main de Rosemary balaya l'air avec insouciance, tandis qu'elle attendait anxieusement la réponse de Ryan. Elle s'approcha de lui avant de poursuivre.

— Ces meubles anciens, cette tradition, tout cela me pesait.

Ryan déboutonna la veste de son costume sombre et enfonça les mains dans ses poches. Il fronça les sourcils, observant attentivement Rosemary.

Elle n'arrivait pas à percer les mystères de son regard. Il savait dissimuler ses sentiments derrière un masque d'impassibilité, surtout s'ils concernaient quelque chose qu'il désapprouvait. Il resta silencieux un moment, puis haussa les épaules.

— Je suis tout simplement surpris. J'ai toujours beaucoup aimé ton ancien studio et je pensais que tu aurais au moins apporté tes meubles dans ta nouvelle demeure. Mais si tu te sens bien...

Le rire léger de Rosemary l'interrompit.

— Je suis certaine que tu n'es pas vraiment sincère. Assieds-toi, je vais te servir un scotch. Sec avec deux glaçons, c'est bien comme cela que tu le préfères, n'est-ce pas ?

— Je vois que tu n'as pas oublié mes goûts.

Il s'installa confortablement dans un grand fauteuil de cuir et la regarda prendre place, très droite, sur une chaise aux formes rectilignes.

— Alors, insista-t-elle, que penses-tu réellement de ma nouvelle maison ?

Les yeux fixés sur son verre, Ryan secoua la tête et s'éclaircit la voix avant de répondre.

— Il vaut mieux que tu ne le saches pas, dit-il avec un sourire dérisoire.

— Manifestement la décoration ne te plaît pas.

— Mon opinion est-elle tellement importante ? C'est à toi que cet endroit doit plaire. Tu y vis chaque jour.

— Je sais. Mais tu es mon ami et ton avis compte beaucoup pour moi.

— Si je te disais le fond de ma pensée, je doute que tu m'invites à ta table ce soir !

Mais quelle impression donnait donc cette pièce ? Les pensées de Rosemary vagabondèrent un instant.

— Depuis quelques mois, je ressens un certain malaise. Je commence à ne plus supporter cet environnement. Depuis la mort de papa, je me sens très seule. Au début, vivre dans sa maison m'a réconfortée.

— Seule ! s'exclama-t-il. Lorsque je suis venu te voir la dernière fois, il ne m'a pas semblé que tu souffrais de la solitude !

Rosemary se souvenait parfaitement de cette soirée. Pour fêter son anniversaire, il l'avait emmenée dîner dans l'un des restaurants les plus élégants de Manhattan. Ils avaient dansé, joué aux touristes dans une drôle de carriole tirée par un cheval dans Central Park. Cet événement restait un souvenir merveilleux pour elle.

C'était peu de temps après cette journée mémorable que Rosemary avait ressenti les premiers signes de sa morosité et d'une certaine lassitude.

— Nous avons passé des moments inoubliables, n'est-ce pas ?

— Je croyais que tu ne voudrais jamais monter dans cette carriole, dit-il en riant.

— C'est peu après ton départ que tout a commencé...

A ces mots, Ryan se fit très attentif. Allait-elle enfin se dévoiler à lui ? Trouverait-il le moyen de l'aider ?

— Raconte-moi, Rosemary, demanda-t-il d'une voix douce.

Elle regarda fixement le fond de son verre, comme si elle pouvait y lire la réponse. Elle but une gorgée de son sherry.

— J'avais espéré que ce déménagement m'apporterait un peu de changement. Pendant un mois, j'ai cru retrouver ma joie de vivre.

A ce moment, la sonnerie de la porte d'entrée retentit, déchirant le silence qui avait suivi ces confidences.

— Je n'attends personne, déclara-t-elle surprise.

— Je vais ouvrir. Je me suis permis de demander à Paxton Norwood, le vice-président de ma compagnie, de me déposer quelques dossiers dont j'avais besoin.

Elle entendit les échos d'une conversation brève, et quelques minutes plus tard, il était de retour dans la pièce et déposait une grosse enveloppe sur la table basse. Il reprit son verre et croisa le visage épanoui de Rosemary.

— Voilà qui est mieux. C'est le premier vrai sourire que tu m'adresses depuis mon arrivée.

Il avait pris place près d'elle sur une de ces chaises hautes qu'il n'appréciait guère.

— Vas-tu me dire ce qui te préoccupe ?

— Peut-être, mais pas maintenant.

Elle sourit pour alléger la tension qu'avaient provoquée ses paroles. Il lui faudrait encore un peu de temps avant de se confier.

— L'imperturbable Miss Addison me paraît très nerveuse ce soir.

— Tu as raison, comme toujours. Il est vrai que je suis angoissée depuis quelques mois. Mon père me manque, bien sûr. Si ma mère avait vécu suffisamment longtemps pour que j'en garde au moins le souvenir....

— Je crois que ce n'est pas le vrai problème, dit Ryan sceptique.

Rosemary se leva et s'approcha de la fenêtre, s'enveloppant frileusement de ses bras.

— J'ai tout ce dont j'ai rêvé. Je peux choisir les projets sur lesquels je travaille et exiger les honoraires que je désire pour mes créations. Certes, cela n'a pas été forcément facile. Mais à présent que j'ai atteint les sommets de ma carrière, je me sens... désenchantée... désemparée devant le vide de ma vie.

Elle se retourna vers Ryan, s'efforçant de rire.

— Je ne me souviens pas d'avoir jamais été si déso-
rientée et... j'ai peur.

Elle avait du mal à dissimuler son amertume. Le cœur
de Ryan se serra. Pour la première fois de son existence,
Rosemary reconnaissait sa faiblesse.

Il contempla sa silhouette fragile, se découpant dans le
soir naissant, et il s'attendrit. Rosemary était un mélange
délicieux de rêveuse et de femme active et indépendante.
Elle était brillante, d'un naturel joyeux et toujours soute-
nue par sa quête du succès. Sans doute était-ce sa sensibi-
lité d'artiste qui donnait à son regard ce charme indéfinis-
sable.

Il se souvenait très bien de leur première rencontre à
Long Island, lors d'un week-end chez les Shaw, alors
qu'il se trouvait à New York pour négocier une extension
de son usine de fabrication de moquette. Il n'avait jamais
connu de femme aussi déterminée et volontaire que
Rosemary. Sa beauté sauvage la différenciait de toutes
les superbes créatures qu'il côtoyait dans les milieux aisés
de New York où le menaient ses affaires. Ses cheveux
aussi noirs et épais qu'une nuit sans lune mettaient en
valeur la nacre de son teint et ses yeux de la couleur des
émeraudes l'avaient ensorcelé.

A cette époque, Rosemary attendait de savoir si elle
serait acceptée dans l'agence de dessinateurs la plus
renommée de New York, la Design Resources Inc. Il
avait tout de suite compris qu'elle chercherait toujours à
dépasser ses limites et que sa carrière serait brillante.

Il se souvint avec mélancolie du refus qu'elle lui avait
opposé lorsqu'il lui avait demandé de l'épouser. Dès le
premier instant, il avait pressenti qu'elle était la femme
de sa vie, tout en sachant qu'elle n'était pas prête à
assumer une aventure amoureuse, encore moins le

mariage. Elle l'avait gentiment repoussé, lui offrant l'amitié à la place de la romance.

Il s'apprêtait à glisser la main dans la poche de sa veste, à la recherche de son paquet de cigarettes, lorsqu'il se souvint qu'il avait cessé de fumer...

Dissimulant la souffrance qu'avait provoquée la décision de Rosemary, il avait accepté l'amitié qu'elle lui proposait. Il avait appris à vivre avec ses regrets et avait reporté toute son énergie sur son travail, obtenant de brillants succès.

Reposant son verre vide sur la table basse il se leva. De l'affection pour elle était tout ce qu'il s'autorisait à ressentir à présent, de l'affection pour la femme qu'il avait désiré follement autrefois.

En poussant un profond soupir, il la rejoignit près de la fenêtre et l'enveloppa de ses bras protecteurs. Ce fut une étreinte douce, comme ils en avaient tant partagé... Il lui caressa le dos et massa ses épaules tendues. Il connaissait la faculté de Rosemary de passer outre les difficultés qui la touchaient, mais cette fois-ci, il sentait que le profond désarroi de son cœur ne s'évanouirait pas comme par enchantement. Il fut effrayé de la deviner si vulnérable. Comment surmonterait-elle cette période critique de sa vie ?

Blottie contre lui, elle parla si bas qu'il dut pencher la tête vers elle pour comprendre les mots qu'elle lui disait.

— C'est si bon d'être ainsi. J'ai besoin de ton réconfort, Ryan.

Mon Dieu, était-ce vraiment Rosie qui se livrait ainsi, totalement désarmée ? Où était la femme libre et indépendante qui jamais n'abandonnait la lutte ? Qu'était-il arrivé à la jeune personne ambitieuse qui lui avait dit, cinq ans auparavant, qu'elle était capable d'assumer sa vie toute seule, sans l'aide de personne ?

— Je suis là, murmura-t-il d'un ton rassurant.

Ryan céda presque à la tentation de se noyer dans sa chevelure magnifique et de goûter la saveur de ses lèvres merveilleuses. Le désir monta en lui sans qu'il s'y attendît. Il n'avait pas ressenti de telles sensations pour elle depuis de longues années.

Rosemary était une amie, elle était en difficulté et il se devait de l'aider, se morigéna-t-il fermement.

— Eh bien, Rosie, la taquina-t-il, que sont devenues ton ambition, ta force de caractère ?...

— Je me suis rendu compte que le succès ne tenait pas chaud au cœur.

— Ne t'inquiète pas, Rosie, l'ambition et le succès sont des amants jaloux et ils reviendront très vite te séduire, dit-il en caressant son visage. Il faudrait qu'un homme soit fou pour oser entrer en compétition avec eux !

— C'est un triste portrait que tu peins de moi... un portrait inhumain.

Il savait ce qu'elle ressentait, car elle avait beaucoup de fierté.

— Et tu n'aimes pas cela, n'est-ce pas ? dit-il avec un sarcasme cruel.

Il réalisa que ses paroles amères la faisaient souffrir et regretta aussitôt de s'être laissé emporter.

— Ce n'est que le portrait d'une femme attachée à sa liberté, reprit-il d'une voix douce.

Elle se dégagea de son étreinte et se raidit. Il se demanda s'il ne venait pas de commettre une erreur impardonnable.

Il remarqua la petite veine qui palpitait sur son cou gracile.

— Je suis désolée, Ryan. Je ne voulais pas me décharger de mes problèmes sur toi.

Elle rit pour cacher son trouble.

— Je parle comme ces créatures hystériques que tu méprises, n'est-ce pas ?

A ces mots, il éclata de rire et se souvint de sa devise que Rosemary connaissait bien : « Avec les femmes, il ne faut rien envisager de plus qu'une semaine aux Caraïbes. »

— Ne me pousse pas dans mes retranchements, Rosie.

Il s'exprima avec une légèreté taquine qu'il était loin de ressentir.

— Je ne t'ai jamais comparée à personne. Tu es unique pour moi, tu le sais bien.

Il se détourna et ébouriffa ses cheveux, pour dissimuler l'expression de son visage.

Rosemary regarda les épaules larges de Ryan et s'obligea à s'adresser à lui sur un ton désinvolte.

— Je suis soulagée. Tu as toujours été un excellent ami pour moi.

Elle se dirigea vers le bar et se servit un autre verre de vermouth rouge.

— L'amitié est beaucoup plus sûre qu'une histoire d'amour.

Il lui sembla que là se trouvait la clé de son problème.

— Une histoire d'amour !

Une image s'imposa subitement à son esprit : Ryan, son amant... ses yeux gris brûlants, sa bouche sensuelle... Elle fixa les carafes au collier d'argent d'un air hébété. Qu'attendait-elle de lui ?

— A vrai dire, je m'étais demandé...

Elle laissa sa phrase en suspens, horrifiée à l'idée de ce qu'elle avait failli lui révéler.

Ryan la rejoignit et la fixa intensément.

— Je ne sais plus très bien où je voulais en venir, Ryan, excuse-moi.

Etait-elle devenue folle ? Autrefois, il l'avait aimée passionnément et elle l'avait repoussé. L'amitié qu'ils étaient parvenus à sauver était très précieuse pour elle. L'idée qu'elle ait pu la mettre en danger l'effrayait. Pour cacher son angoisse, elle but une gorgée d'alcool.

— La chaîne stéréo est dans le placard, près de la cheminée. Veux-tu mettre un disque pendant que je vérifie où en est le dîner ?

A vrai dire, cela s'avérait parfaitement inutile. Le traiteur avait livré dans l'après-midi un succulent dîner froid et les coquilles de poisson, le saumon fumé et le vacherin glacé n'avaient nul besoin de préparation.

Appuyée contre le comptoir de la cuisine, elle essaya de relâcher la tension qui meurtrissait ses épaules. Pas même la mort de son père, un an auparavant, ne l'avait rendue si désespérée. Jamais elle n'avait souffert de sa solitude, mais à présent elle ne pouvait plus supporter d'être seule. Petit à petit, elle avait modifié son style de vie, espérant ainsi changer son état d'esprit.

Emménager dans cette maison avait été la première phase de son plan.

D'autre part, elle s'était plongée à corps perdu dans la vie mondaine de Manhattan. Chaque soir, elle se rendait au théâtre, au concert ou à une soirée. Parfois aussi, elle acceptait l'invitation à dîner d'un des hommes qui mouraient d'envie de distraire la talentueuse et riche Rosemary Addison. De toutes ses forces, elle avait tenté de s'intéresser à l'un d'eux. Non pas dans le but d'une aventure, mais pour essayer de combler le vide de sa vie. Seulement, l'un était trop arrogant, trop sûr de lui, l'autre trop servile. L'un n'aimait que la cuisine italienne tandis que l'autre ne vivait que pour l'archéologie... L'échec de ces tentatives lui avait laissé un goût d'amertume et n'avait fait qu'augmenter la confusion de son esprit.

Il s'avérait que Ryan était le seul homme en qui elle avait une confiance absolue. Ryan... Inconsciemment, ses yeux se posèrent sur le coquillage nacré qui se cachait derrière le pied d'une bouteille de Chablis. Ses doigts caressèrent la surface lisse de la coquille aux doux arrondis. De tendres souvenirs montèrent à sa mémoire, la ramenant à cet été d'il y a cinq ans.

Le curriculum de Rosemary était dans le dossier d'une importante compagnie de graphisme depuis six semaines. Lorsqu'elle avait commencé à montrer un intérêt dans la création artistique, son père avait été enchanté, mais son avertissement résonnait encore à ses oreilles.

— Si tu veux être dessinatrice, tu dois être la meilleure de la ville de New York. Ne vise jamais moins que cela. Ce domaine est très compétitif et si tu n'as pas l'ambition suffisante, tu resteras dans l'ombre. Mais n'oublie jamais qu'en cas de réussite, le mariage et un foyer stable devront attendre.

Son talent véritable et sa volonté farouche étaient les atouts essentiels pour une carrière brillante.

Après l'université, deux années d'expérience dans une petite agence de dessinateurs lui avaient permis de se constituer un dossier suffisant pour lui ouvrir les portes de la meilleure firme de New York.

L'attente de sa convocation s'était révélée être une forme insidieuse de torture. Elle avait presque perdu le sommeil et l'appétit. Son père l'avait enjointe d'accepter l'invitation de ses amis, les Shaw, à Long Island, pendant une semaine ou deux. Elle avait protesté. Pour elle, la réponse qu'elle attendait était ce qui comptait le plus au monde.

— Et si la Design Resources Inc m'appelle ? Je veux être là.

— N'aie crainte, je te préviendrai immédiatement.

A contrecœur, elle s'était rangée à l'avis de son père et avait accepté de rendre visite à Adèle et Lawrence Shaw.

Le chauffeur déchargeait les bagages, lorsque son amie Adèle dévala les marches de sa somptueuse villa au bord de la mer pour venir l'accueillir.

— Je suis contente que tu sois venue. Ton père nous a confié que tu avais besoin de repos et de détente, déclara la petite femme rousse enjouée, en l'embrassant. Je suis certaine que tu repartiras avec une mine superbe.

Lorsque Rosemary pénétra dans l'oasis de fraîcheur du salon, elle réalisa en effet que ce séjour lui ferait le plus grand bien.

Son amie adorait recevoir et son idée fixe était de provoquer des rencontres entre personnes qui, elle était sûre, s'entendraient à merveille. Cette petite manie agaçait Rosemary et la vue de l'homme qui se leva à son entrée la mit instantanément sur ses gardes.

— Je te présente Ryan Tarleton. Il vient de Géorgie et séjournera quelque temps avec nous.

Rosemary remarqua la lueur d'intérêt qui passa dans les yeux de l'invité séduisant d'Adèle.

— Lawrence pense que Ryan deviendra un jour l'un de ses meilleurs clients. Il croit beaucoup à sa réussite, expliqua Adèle à Rosemary.

Lawrence Shaw était un des plus gros banquiers de la place de New York.

Malgré sa méfiance, Rosemary se laissa subjuguer par le sourire charmeur et chaleureux de Ryan. Elle sut immédiatement que cet homme tiendrait une place importante dans sa vie.

CHAPITRE DEUX

Ces jours passés au bord de la mer furent enchanteurs.

Ryan et Rosemary marchèrent sur le sable fin de la plage déserte à la lueur argentée de la pleine lune. Ils s'abritèrent dans l'anfractuosité d'un rocher pour savourer ces instants de communion totale. Ils partagèrent leurs rêves et leurs ambitions, tels de vieux amis, alors qu'ils venaient seulement de se rencontrer. Comme bousculés par la pendule qui égrenait les heures de leur bonheur, ils parlèrent pendant trois jours, intarissables.

Leur premier baiser ! Elle ne l'oublierait jamais.

Si elle y avait réfléchi, elle l'aurait imaginé, près de la mer, le soir venu, à la douce clarté de la lune et des étoiles brillantes. Un endroit romantique sorti des livres d'images de son enfance. Ou peut-être aussi, dans cette petite discothèque où ils allaient danser sous les lumières tamisées et colorées des projecteurs scintillant au rythme lent des slows langoureux qui les emportaient dans la danse, tendrement enlacés.

Ces lieux enchanteurs semblaient les attendre et pourtant, c'est une lingerie qui accueillit leur premier vertige.

Dans la grande maison des Shaw, les invités disposaient de toutes les facilités pour vivre le plus agréablement possible. Un cuisinier était installé à demeure et une femme de ménage venait chaque matin assurer l'entretien général.

Adèle et Lawrence avaient décidé de passer leur journée à flâner en ville et de visiter le musée régional. Ryan avait congédié le cuisinier, avec l'intention de dîner au restaurant du port dont les plateaux de fruits de mer étaient réputés dans toute la région.

Rosemary et Ryan étaient restés sur la plage une grande partie de la journée. Sautant et plongeant dans les vagues, ils avaient joué comme des enfants insouciants et heureux, s'enivrant de mer et de vent.

Le soir, ils rentrèrent, les yeux brillants de plaisir. En haut du grand escalier menant aux chambres, ils se séparèrent pour se retrouver quelques minutes plus tard, les cheveux encore mouillés par une douche rafraîchissante, portant leur serviette de bain sur le bras. Ryan plaisanta à propos des joues rouges de Rosemary, brûlées par le soleil.

— Ton teint écarlate s'harmonise parfaitement avec la couleur de ton pantalon ! Tu vas sans doute peler demain, dit-il rieur.

Il portait un jean délavé qui moulait ses hanches étroites et ses longues jambes musclées. Tout en lui jetant un regard meurtrier, elle pensa qu'il semblait sortir tout droit d'un magazine de mode, avec son torse musclé, son teint hâlé, son visage fier et volontaire.

Se tournant vers elle, il lui tendit sa serviette et son maillot de bain et enfila la chemise blanche qu'il avait jetée négligemment sur son épaule, sans même prendre la peine de la boutonner.

— Je suis vraiment désolé pour ton coup de soleil, mais j'adore les homards grillés ! plaisanta-t-il.

— Et toi, tu as suffisamment de sel dans ta moustache pour assaisonner tous les homards du monde.

S'arrêtant au bas de l'escalier devant un magnifique miroir ovale encadré de bois sculpté, il se pencha légèrement pour examiner sa moustache et la lissa entre son pouce et son index, d'un geste de satisfaction et de fierté évidentes.

— Comment sais-tu que c'est du sel ?

Alors qu'elle passait derrière lui pour rejoindre la lingerie, il l'agrippa par le poignet.

— Tu n'y as même pas goûté, ajouta-t-il. Oublies-tu, Miss Addison, que nous ne nous sommes jamais embrassés ?

Bien que son cœur battît plus fort dans sa poitrine, Rosemary se dégagea d'un geste désinvolte et, haussant les épaules, poussa la porte de la pièce. Elle mit le linge dans la machine à laver, referma le couvercle, appuya sur le bouton « départ » et se retourna, un sourire espiègle sur les lèvres.

— Bien sûr, je le sais ! Nous n'avons jamais cessé de parler un seul instant. Comment aurions-nous pu en trouver le temps ?

Ryan s'approcha lentement d'elle, posant sa main sur son épaule.

— Rosie...

Personne ne l'avait jamais appelée ainsi, sachant qu'elle détestait que l'on déformât son nom, mais dans la bouche de Ryan, ces deux syllabes sonnèrent délicieusement à son oreille.

Il était à quelques centimètres d'elle et elle pouvait sentir la chaleur de son corps. Fascinée par le magnétisme qui émanait de lui — tant de douceur dans sa voix, tant de feu dans ses prunelles noires — Rosemary se sentit brusquement tout étourdie. Elle appuya les mains sur sa poitrine dont la peau nue et bronzée recouverte d'un duvet soyeux semblait une invitation aux caresses.

Les bras de Ryan l'enlacèrent passionnément et ses lèvres trouvèrent les siennes, avides et sensuelles. Un long frisson la parcourut et elle l'étreignit avec force. Elle se surprit à répondre à son baiser, tout enveloppée de la tendresse qu'il lui insufflait.

A vingt-quatre ans, Rosemary n'était pas innocente, mais elle n'avait jamais éprouvé une telle émotion dans les bras d'aucun homme.

Le souffle tiède de Ryan effleurait son oreille tandis qu'il murmurait son nom. Elle avait l'impression de flotter sur un nuage dérivant au gré des vagues capricieuses de son désir. Lorsque la paume de la main de Ryan se referma délicatement sur la rondeur d'un sein, sous la chemise légère, elle fut envahie d'une sensation si intense qu'elle laissa échapper un petit gémissement de plaisir. Fermant les yeux, elle s'abandonna aux délices de ces caresses merveilleuses.

— Rosie, l'appela-t-il doucement, regarde-moi.

Les doigts de Ryan coururent sur la peau fine de son cou, descendant sur sa poitrine ferme que sa respiration haletante soulevait, s'offrant sans fausse pudeur aux baisers brûlants de sa bouche.

Chacun put lire dans le regard de l'autre le bonheur insensé qui les réunissait dans une même harmonie.

Le temps était suspendu, repoussant le moment où la magie s'évanouirait, tel le rideau rouge qui retombe lourdement sur la scène, marquant la fin du rêve et laissant dans les yeux émerveillés des enfants un voile d'incrédulité.

Pourtant, quelque chose interdisait à Rosemary de s'abandonner complètement à Ryan. Une petite voix résonnait au plus profond d'elle-même. « Ce n'est pas possible... pas à moi... pas maintenant. » Lorsqu'elle avait décidé de conquérir son indépendance dans la jungle du monde des affaires, elle n'avait pas imaginé qu'une aventure amoureuse puisse venir la troubler dans ses desseins.

Elle savait que sa rencontre avec Ryan était très importante pour elle. Jamais elle n'avait connu un être qui la fascinât et la comprît avec autant de tendresse. Ce baiser lui avait permis de deviner à quel point Ryan allait compter dans sa vie à présent et elle ne pouvait accepter cette certitude.

Elle tenta doucement de s'écarter de lui. D'un geste ferme mais pourtant empreint de délicatesse, il resserra son étreinte.

— Que se passe-t-il, Rosie ?

Il encadra son visage de ses mains, glissa les doigts dans ses cheveux mouillés et plongea son regard gris argenté au fond de ses yeux.

— Tu m'as ensorcelé, poursuivit-il. Je te connais depuis trois jours qui me semblent une éternité et je suis déjà fou de toi.

Elle était partagée entre l'envie irrépressible de se blottir contre lui et celle de fuir cet homme qui menaçait sa liberté.

— Je sais, murmura-t-elle.

— Je ne pourrai jamais te blesser, Rosie, dit-il d'une voix grave.

— Tu crois que je n'ai pas deviné, Ryan, répondit-elle avec un sourire.

— Alors pourquoi cette tristesse ?

Comme un petit chat, Rosemary blottit sa tête au creux de son épaule, se cachant contre la peau douce et épicée de son torse musclé. Mais Ryan, sensible à la moindre de ses réactions, lui prit le menton entre les doigts et l'obligea à lui faire face.

Pouvait-il lire ainsi à livre ouvert jusqu'au fond de son cœur ?

— Le regret, dit-elle. Tout ce qui nous arrive est trop rapide. Je ne me sens pas prête. J'ai peur... Je ne suis pas certaine actuellement de vouloir m'engager dans une relation, Ryan.

— Et si pour moi, ce n'était pas une simple aventure, Rosie ?

— Nous nous connaissons à peine...

Ryan, le visage empreint d'une troublante gravité, la contemplait fixement, comme s'il cherchait à graver ses traits au fond de sa mémoire.

— Je comprends.

« Comprends-tu vraiment, Ryan ? » songea-t-elle, une profonde tristesse envahissant soudain son cœur.

Les jours suivants, ils essayèrent de profiter pleinement des derniers moments qu'il leur restait à partager.

Rosemary était déchirée et vécut intensément tous ces instants auprès de Ryan, comme si elle allait perdre à jamais le bonheur qu'elle venait de découvrir.

Il l'émouvait au plus profond d'elle-même, par son rire chaud, ses attentions délicates, sa gaieté communicative. Chacune de ses caresses était un cadeau merveilleux qu'elle enferma jalousement dans son jardin secret. Les souvenirs seuls lui resteraient après son départ, parce qu'elle avait le monde à conquérir, sa carrière à poursuivre... Elle n'était prête ni pour une relation amoureuse, ni pour le mariage, ni pour aucun engagement.

Quand son père vint l'informer qu'elle était acceptée à la D.R.I., elle ne sut plus si elle devait rire ou pleurer. Ses espoirs étaient comblés, elle attendait cette promotion comme l'ouverture des portes du paradis, mais en même temps, cette nouvelle signifiait qu'elle renonçait à Ryan.

Le dernier jour, elle était au bord des larmes, à la

moindre plaisanterie, à la plus petite provocation. Intuitivement, elle devinait la souffrance de Ryan.

Mais après tout, était-ce plus qu'une aventure romantique d'un été, une rencontre sublimée par la mer, le soleil, les vacances ? Dans ce cas, elle surmonterait son chagrin et Ryan l'oublierait.

Le soir du départ, ils s'étaient retrouvés sur la plage. Le soleil couchant noyait sa boule de feu dans les flots apaisés de cette heure privilégiée, rosissant la surface de l'océan. Main dans la main, ils avaient longé la mer, bercés par le murmure des vagues qui doucement venaient mourir à leurs pieds.

Un silence lourd et pesant s'installa entre eux jusqu'à ce que Ryan l'attirât contre lui.

Soudain, elle eut envie de pleurer. « Non, Ryan, laisse-moi ! » aurait-elle voulu crier.

— Rosemary, veux-tu m'épouser ? murmura-t-il.

La réponse était déjà sur ses lèvres avant qu'il ne formule sa question, avant même qu'elle ne réfléchisse.

— Non, Ryan, je ne peux pas.

Contre toute attente, il lui sourit, mais son sourire était empreint d'une tristesse indicible. Il releva tendrement une mèche des cheveux de Rosemary et l'accrocha derrière son oreille.

— Je le savais, Rosie, mais je ne pouvais pas te laisser partir sans te le demander.

— Ryan, je suis désolée...

— Non, ma chérie, n'ajoute rien.

Il hésita à poursuivre et son regard se perdit un instant sur l'immensité de l'océan. Son profil se découpa sur l'ombre de la nuit, une brise légère ébouriffa ses cheveux.

— Nous avons un trésor à partager, dit-il simplement. Tout pourrait être si beau entre nous. Mais je comprends que, pour toi, le moment n'est pas venu.

— J'ai quelque chose à te demander, moi aussi,

déclara-t-elle, alors que les larmes perlaient à ses paupières.

— Tout ce que tu veux.

Il avança sa main pour essuyer les yeux de Rosemary
d'un geste très doux.

— J'ai beaucoup d'affection pour toi, Ryan. Tu comptes énormément pour moi... Veux-tu rester mon ami ?

Ryan s'approcha d'elle et l'enlaça passionnément,
caressant ses cheveux comme on le fait pour apaiser un
enfant. Pendant une fraction de seconde, leurs regards se
mêlèrent avec une intensité douloureuse.

— Oui, Rosie, je serai toujours ton ami.

Elle ne le revit pas pendant un an.

— As-tu l'intention de passer ta soirée dans la cuisine ? lança Ryan, interrompant sa rêverie.

Perdue entre le passé et le présent, il lui fallut quelques
secondes avant que les mots de Ryan ne franchissent la
barrière de son esprit embrumé.

Lorsqu'elle se retourna vers lui, un sourire flottait sur
ses lèvres.

Il était sur le seuil de la porte, beau comme un Dieu,
séduisant comme un diable et plus vivant qu'un soleil.
L'espace d'un instant, son cœur s'arrêta de battre.
L'émotion qui l'envahit était presque plus forte que celle
de leur premier baiser dans la lingerie. Les yeux de
Rosemary descendirent sur la bouche sensuelle de Ryan.
Cinq ans...

— Rosie, l'appela-t-il, levant les sourcils.

Jamais un instant, elle n'avait cessé de l'aimer.

— Tout est prêt, s'exclama-t-elle, dissimulant son
trouble sous une gaieté forcée. J'espère que tu as faim.

— N'essaie pas de me faire croire que tu as cuisiné !
dit-il dans un sourire.

Il passa la tête par-dessus l'épaule de Rosemary et elle se détendit en apercevant la lueur malicieuse de ses yeux.

— Pourquoi veux-tu me faire perdre mon temps, alors qu'il y a un excellent traiteur au coin de la rue ?

— Je n'ai pas l'impression qu'il t'a bien nourrie. Combien de kilos as-tu perdus ?

— Pas tant que tu l'imagines.

— Allez, Rosie, la taquina-t-il. Vas-tu souvent chercher tes repas chez cet Italien ?

Elle aurait dû répondre à cette légère réprimande sur le même ton amusé et taquin, mais inexplicablement, elle n'était pas d'humeur à plaisanter.

— Pas tous les soirs, j'en conviens. Honnêtement, je n'aime pas mijoter de bons petits plats, mais je suis tout à fait capable de me préparer un repas.

— Un repas ! s'exclama-t-il. Tu veux sans doute parler d'un sandwich au beurre de cacahuètes !

Ensemble, ils éclatèrent de rire. Ils connaissaient tous deux sa gourmandise pour cette friandise sous toutes les formes : en tartines, à la petite cuillère, au petit déjeuner ou au dîner.

— Mais c'est un aliment très nourrissant, le sais-tu ?

Coupant court à ces conseils de diététique, elle lui tendit une bouteille de vin et un tire-bouchon.

— Tiens, proposa-t-elle, veux-tu la déboucher, s'il te plaît ?

Plus tard, alors qu'ils dégustaient tranquillement leur café, elle surprit le regard de Ryan qui semblait l'étudier attentivement.

— Je ne supporte pas de te voir ainsi, dit-il d'une voix grave. Tu comptes beaucoup pour moi, Rosie.

— De quoi parles-tu ? répondit-elle d'un air faussement désinvolte.

Elle ramassa les miettes éparpillées sur la table, essayant d'adopter une contenance qui masquerait son trouble. Elle n'avait pas relevé les derniers mots de Ryan qui, subitement, réveillaient l'angoisse qui sommeillait en elle. Depuis le début du repas, elle s'était efforcée d'entretenir une conversation anodine et banale, redoutant d'aborder des sujets plus personnels. Sa gorge se serra, devinant qu'elle ne pourrait pas échapper plus longtemps à la perspicacité de Ryan.

— Eh bien, Rosie, s'exclama-t-il, repoussant sa tasse de café et croisant les bras sur la table. Explique-toi.

— Ecoute, Ryan, le coupa-t-elle, je ne suis pas si stupide, je sais très bien ce qui m'arrive.

Il sourit devant son air décidé et un peu autoritaire.

— Bien sûr, ma chérie. Alors, raconte-moi.

— En fait, je suis absolument paniquée à l'idée de fêter mon trentième anniversaire. Voilà, c'est tout. Je m'en remettrai.

Une petite voix lui soufflait que là n'était pas le problème et qu'elle était même d'une certaine mauvaise foi. N'essayait-elle pas de trouver une excuse pour rassurer Ryan ?

— Si vraiment rien d'autre ne te préoccupe, constata-t-il amusé, je crois que tu survivras en effet à cette épreuve. Et tu ne seras ni la première, ni la dernière.

— Voilà comment tu me rassures ! plaisanta-t-elle, gagnée à son tour par le rire communicatif de Ryan.

Elle tourna son café consciencieusement, ce qui était parfaitement inutile puisqu'elle n'y ajoutait jamais de sucre.

— Si tu as retrouvé le sourire, l'interrompit-il, j'ai une proposition à te faire.

Rosemary leva un sourcil, son cœur battant soudain la chamade.

— Non ! s'esclaffa-t-il, ce n'est pas ce que tu penses !

Rosemary le regarda un peu éberluée, les joues légèrement empourprées, perdant sa belle assurance, mais reprit rapidement ses esprits.

— Quelle est cette proposition ?

— Je suis à New York actuellement, à la recherche d'une dessinatrice pour une nouvelle collection de décors de bureaux, et c'est sur toi que mon choix s'est tout naturellement porté.

Elle écarquilla les yeux, étonnée par cette requête, secrètement déçue. Qu'avait-elle donc espéré ?

— Mais je n'ai jamais dessiné pour des moquettes ! Je ne pense d'ailleurs pas en être capable.

Empilant rapidement les assiettes sur un coin de la table, elle s'installa, le menton appuyé sur la paume de sa main, attentive aux explications que Ryan s'apprêtait à lui fournir.

— Ce travail me semble pourtant tout à fait relever de tes compétences. Si tu es effrayée par les problèmes techniques, j'engagerai un professionnel pour mettre tes créations en application.

Elle hocha la tête, réfléchissant rapidement. Finalement, cette idée lui parut originale. Elle avait déjà dessiné des papiers peints, travaillait beaucoup le graphisme et cette proposition de créer le décor entier d'un bureau commençait à lui plaire. Elle se sentit soulagée et offrit à Ryan son plus beau sourire.

— Pourquoi m'avoir choisie ?

— Tu cherches vraiment les compliments ! Tu sais très bien que tu es la meilleure. Depuis l'âge de vingt-deux ans où tu as lancé tes premiers tee-shirts imprimés, tu es la plus cotée dans la profession.

Ne cherchant pas à jouer la modestie, elle n'ajouta rien. Peut-être n'était-elle pas « la meilleure », comme le disait Ryan. Bien sûr, dans la ville de New York, il n'était pas facile de détenir la place qu'elle occupait depuis plusieurs années. Sa profession l'avait comblée jusqu'à ces derniers mois où elle avait commencé à ressentir les limites d'un tel succès.

N'était-elle pas passée à côté du simple plaisir d'être femme ? Aucune dispute, aucune larme, aucune jalousie ne perturbaient sa vie. Mais en retour, l'intimité, la douceur, la tendresse et les sentiments en étaient eux aussi absents. Elle était exactement ce qu'elle et son père avaient espéré : une femme libre et indépendante.

Ryan suivait toutes les expressions qui se succédaient sur le beau visage de Rosemary et semblait deviner chacune de ses pensées.

— Même ton père serait heureux. Nous avons étudié un projet pour les immeubles et les bureaux. C'est une aventure un peu risquée, mais je crois que ton talent sera un argument de vente non négligeable. Nous appelerons notre nouvelle ligne « Rosemary ».

Elle n'en croyait pas ses oreilles. Les diverses collections de Ryan étaient traditionnellement baptisées du nom d'une grande ville : Newport, Saint Louis, Chicago... Cette délicate attention lui alla droit au cœur.

— Je viens juste d'acquérir, poursuivit-il, pour plusieurs millions, une machine allemande révolutionnaire qui, d'après le fabricant, est extraordinaire. Les possiblités d'impression sont presque illimitées.

— Hum, hum, c'est intéressant. Je commence à voir plus clairement ce que tu désires.

Rosemary se sentait stimulée à l'idée d'une nouvelle victoire à remporter. Un pari était lancé et son esprit inventif et batailleur galopait aussi vite qu'un cheval emballé. Elle allait sortir de ce trou noir dans lequel elle se débattait depuis de longs mois et peut-être retrouver son enthousiasme et sa joie de vivre.

— Je dois ajouter, précisa Ryan, que tu devras quitter New York quelque temps, et cela te fera le plus grand bien. Un changement d'air ne peut t'être que bénéfique car laisse-moi te dire que tu as très mauvaise mine.

— Que veux-tu dire ? s'exclama-t-elle sur la défensive. Je travaillerai dans mon atelier, bien entendu.

— Pas question. J'ai besoin de toi sur place, au cas où des problèmes surviendraient. Mais ne t'inquiète pas, tu auras un magnifique studio à ta disposition.

Rosemary savait que l'entreprise de Ryan était maintenant florissante et ne doutait pas des possibilités qui s'offriraient à elle sur place. Grâce à ses efforts acharnés, Ryan avait créé lui-même sa société. Il travaillait à présent avec les meilleurs ingénieurs et les résultats étaient de qualité.

— Mais, Ryan, je ne veux pas quitter New York !

— Pourquoi ?

— Eh bien, je...

Les excuses futiles qu'elle aurait voulu lui opposer n'auraient pu le convaincre, elle le savait. Elle se sentait prise au piège.

Lorsque Ryan reprit la parole, elle sursauta devant l'impatience qu'elle devina dans sa voix.

— Parce que la Reine de la Glace a emménagé dans son Palais de Givre et qu'elle préfère y rester sans bouger et y mourir de froid ?

— Non, non, murmura-t-elle, décomposée.

— Regarde autour de toi, ma chère Rosie. Ton ancien appartement était agréable et intime. Tes meubles, même s'ils n'avaient pas été achetés chez des antiquaires de renom, créaient une atmosphère chaleureuse et réconfortante. Au moins, c'était un foyer et non pas une salle d'exposition. Ici, il n'y a rien de doux, ni de féminin. Tout reflète la rigueur, la froideur. Est-ce vraiment ce que tu aimes ?

L'amertume qui perçait dans sa voix acheva de dérouter Rosemary.

— Il est à mon image, n'est-ce pas ?

— Pas du tout, Rosie, justement. Tu te donnes cette apparence, mais rien dans tout ce théâtre ne te ressemble. Tu n'es pas heureuse ici, tu l'as dit toi-même.

— C'est vrai, avoua-t-elle. Essaies-tu de me sauver ?

— Peut-être.

Le ton de ces derniers mots laissa transparaître la colère qui montait en Ryan. Il se leva brusquement et arpenta la pièce à grandes enjambées nerveuses.

— Rosemary, reprit-il, ton père t'a encouragée à acquérir ton indépendance par tous les moyens.

Alors qu'elle allait protester, il l'arrêta d'un geste de la main.

— Ne t'es-tu jamais arrêtée un seul instant pour respirer l'air du petit matin ou courir dans le vent ? Viens avec moi en Géorgie, laisse le soleil du Sud te réchauffer !... Au moins pendant deux mois.

Se retournant vers la porte, il embrassa le salon d'un large mouvement du bras.

— Tout cela, dit-il amer, ne souffrira guère de ton absence.

— Je ne pourrai pas venir tout de suite, dit-elle après avoir observé un moment de silence.

Ryan s'installa de nouveau en face d'elle, une lueur de triomphe dans les yeux.

— Qui sait ? Peut-être te plairas-tu à Apple Valley. C'est presque la campagne. Ce petit village ne compte guère plus de quatre cents habitants.

— Quatre cents habitants ! s'écria-t-elle. Ryan, te moques-tu de moi ?

— Non, non, dit-il en riant, mais ne t'inquiète pas. Atlanta n'est qu'à une heure de route et tu ne seras pas perdue.

— Je vais réfléchir à ta proposition, Ryan, mais je ne te promets rien.

Ryan hocha la tête, se cala confortablement sur sa chaise, satisfait. Une lueur d'infinie tendresse passa dans ses yeux quand il les posa sur la silhouette gracieuse de Rosemary.

CHAPITRE TROIS

Rosemary attrapa la main qui se tendait vers elle et sauta, légère, sur la piste d'atterrissage.

— Merci Stan, lança-t-elle au mécanicien.

Elle salua également le jeune pilote.

— Le vol a été merveilleux, le complimenta-t-elle.

— Tout le plaisir a été pour moi, Miss Addison, répondit-il en souriant.

Elle examina avec curiosité le petit aéroport municipal avec ses hangars de tôle ondulée.

Une enseigne en bois se balançait au-dessus de la porte d'un petit bar et spécifiait « Sanderson ».

— M. Tarleton vous attend là-bas, madame.

Rosemary tourna la tête vers la direction indiquée. Pendant quelques instants, elle eut un doute.

La seule personne qu'elle voyait était un homme très grand, en jean, appuyé, les bras croisés, contre la calandre d'une Lincoln gris métallisé. Il portait un Stetson blanc, bien enfoncé sur ses yeux.

Cet homme ne ressemblait en rien à Ryan.

Elle mit une main en visière pour se protéger de l'écla-

tant soleil de Géorgie et le regarda plus précisément. Et,
tout à coup, éberluée, elle le reconnut.

Le sourire qu'il lui adressait et sa moustache noire
furent les indices qui lui permirent de l'identifier.

— Ryan ? murmura-t-elle.

Elle s'avança vers lui puis s'arrêta, craignant encore de
se tromper.

Il lui ouvrit grands les bras.

— Bonjour Rosie !

La voix profonde et vibrante lui confirma sa certitude.
C'était bien Ryan.

Il s'approcha lentement d'elle pour lui laisser le temps
de s'habituer à ce changement.

Rosemary secoua la tête doucement, incrédule. Où
était le jeune homme élégant, portant costumes d'excellente coupe et chemises de soie, qu'elle avait coutume de
fréquenter ?

Les manches de sa chemise à carreaux étaient roulées
jusqu'aux coudes et les trois premiers boutons, détachés,
laissaient entrevoir le hâle doré de sa poitrine.

Il y avait très longtemps qu'elle l'avait vu dans une
tenue si peu conventionnelle. Elle avait presque oublié ce
Ryan si sensuel. Sa vue réveilla soudainement des souvenirs enfouis depuis des années.

— Bienvenue dans le Sud, ma chérie.

Ces mots interrompirent le cours de ses pensées mais
pas les battements accélérés de son cœur.

Rosemary était insensible à la fraîcheur parfumée de
la brise légère qui soufflait, si différente des courants
d'air glacés qu'elle venait de quitter à New York. Elle ne
prêtait pas attention aux prairies riantes et fleuries qui
s'étendaient sous ses yeux, pas plus qu'au sourire du
jeune pilote qui venait d'apporter sa valise jusqu'à la
voiture.

Elle était complètement hypnotisée par l'homme qui

se tenait devant elle. Non pas le Ryan Tarleton qu'elle avait rencontré cinq ans auparavant, mais un Ryan tout à fait nouveau pour elle.

Il était si différent qu'elle dut se retenir de le toucher pour s'assurer de sa réalité.

Cet homme, bien qu'aussi séduisant que le Ryan des villes, était métamorphosé par une expérience qui intimidait quelque peu Rosemary. Etait-ce seulement de la timidité ? se demanda-t-elle sceptique.

Ryan serra la main du pilote pour le remercier. Rosemary le salua distraitement, les yeux fixés sur le visage de Ryan.

C'était un autre homme, dans un autre temps. Ou bien un homme surgi du passé et avec qui elle devait renouer connaissance. Elle était un peu déconcertée mais excitée également. Après tout, n'était-ce pas ce qu'elle recherchait ?

Quand elle avait accepté de le rejoindre en Géorgie, n'avait-elle pas espéré, secrètement, approfondir la relation amicale qui l'unissait à lui depuis cinq ans ?

« Mais non, se tança-t-elle, que vas-tu imaginer ? » Elle était venue ici pour créer une nouvelle gamme de moquettes et... et peut-être pour d'autre raisons.

Mais quand Ryan lui prit le bras pour l'aider à s'asseoir dans la voiture, la chaleur qu'elle ressentit à ce contact l'avertit qu'il ne lui serait pas facile de se consacrer uniquement à son travail face à l'incroyable magnétisme de cet homme.

— Tu séjourneras dans un petit cottage non loin de l'usine. Il est déjà tout installé mais, si tu préfères, nous pourrons faire venir tes propres meubles par transporteur, lui annonça Ryan en démarrant.

La route étroite longeait un centre commercial où se côtoyaient un supermarché, un cinéma, un drugstore et de nombreuses petites boutiques.

Rosemary enregistra avec plaisir l'existence de ce centre.

Puis son regard revint se poser sur Ryan.

Sous cette chemise sport, ses épaules semblaient deux fois plus larges, et son jean épousait les muscles allongés de ses cuisses. Il avait jeté le Stetson sur le siège arrière et ses cheveux noirs étaient ébouriffés par le vent.

Elle dut faire un immense effort pour s'empêcher de relever les petites mèches bouclées qui barraient son front.

Perdue dans ses pensées, les mots qu'il venait de prononcer n'étaient pas parvenus jusqu'à elle.

— Rosie ? dit-il en lui jetant un coup d'œil rapide.

L'éclair de ses yeux gris posés sur elle la fit trembler. Sa voix se perdit au fond de sa gorge et les battements affolés de son cœur résonnèrent à ses oreilles.

Mais que lui arrivait-il ? Elle se sentait terriblement attirée par Ryan. Presque envoûtée.

— Rosie ! insista-t-il en élevant légèrement la voix. Tu m'écoutes...

— Hmmm ?

— Je te disais, reprit-il patiemment, que nous pourrons déménager tes meubles si cela te convient mieux. Les camions de l'usine font le voyage sur New York trois fois par semaine.

— Oh ! très bien. Pourquoi ne pas attendre... euh...

Mon Dieu ! Il fallait absolument qu'elle se reprenne. Elle se comportait comme une sotte.

— Nous verrons... finit-elle par articuler difficilement.

Ryan eut le tact d'ignorer son trouble.

— Nous arrivons à Sanderson, la prévint-il après un instant.

Rosemary regarda par la fenêtre, heureuse de cette diversion.

— Quelle charmante petite ville ! s'exclama-t-elle.

Un bâtiment à l'architecture typiquement géorgienne s'élevait à l'intersection de deux avenues.

— Palais de Justice Régional, lut-elle à haute voix.

Quelques magasins arboraient leurs façades fraîchement repeintes agrémentées de grands pots de géraniums fleuris.

Puis Rosemary constata avec surprise qu'il n'y avait plus, sur cette avenue, que quelques maisons.

— N'y a-t-il plus d'autres magasins ? s'enquit-elle faiblement.

Ryan s'esclaffa et elle nota avec plaisir qu'elle ne l'avait jamais entendu rire de cette façon à New York.

— Ne t'inquiète pas, il y a d'autres boutiques et quelques restaurants mais ils ne sont pas situés dans le centre ville.

— Mais comment vais-je pouvoir me déplacer ? s'enquit-elle.

— Je t'ai réservé une voiture de location. Un cabriolet rouge au toit ouvrant... Mais il te faudra patienter jusqu'à demain.

— Un dimanche ? s'étonna-t-elle.

— Tu sais, dans les petits villages comme celui-là, on ne fait pas trop attention aux dimanches et aux jours fériés... J'ai également passé une commande à l'épicerie, mais ce soir, pour fêter ton arrivée, je t'emmène au restaurant déguster la spécialité géorgienne, la viande grillée au barbecue.

Devant son silence, Ryan l'observa à la dérobée. Rosemary semblait contrariée.

— On y dîne très bien, Rosie, lança-t-il pour se justifier.

— Ce n'est pas cela...

Elle gardait les yeux fixés droit devant elle, sans même

apercevoir les montagnes qui se découpaient sur le bleu de l'horizon.

Il prit la première route à droite, se gara sur le bas-côté et arrêta le moteur.

— Rosemary, lui dit-il en se tournant vers elle. Je sais que tu es une citadine mais fais-moi confiance. Je te promets que ton séjour sera très agréable.

— Je ne sais pas conduire, murmura-t-elle, la tête baissée.

Elle leva les yeux vers lui et s'irrita de son air incrédule.

— Ne me regarde pas comme si j'étais une arriérée mentale ! lui lança-t-elle. A New York je n'ai nul besoin de voiture.

— Effectivement, admit-il, cette éventualité ne m'avait même pas effleuré. Mais ce n'est pas grave, ajouta-t-il amusé, tu vas apprendre.

— Et si cela ne m'intéresse pas de conduire... rétorqua-t-elle, agacée.

L'air sembla tout à coup se charger d'électricité.

Ryan passa un bras autour de ses épaules et s'approcha d'elle, les yeux rivés sur ses lèvres sensuelles. Avec tendresse, il lui offrit un baiser que Rosemary ne put refuser. Il y avait des années que Ryan ne l'avait embrassée de cette façon.

Elle croisa son regard et fut intriguée de l'expression qu'elle y lut.

— Que se passe-t-il ?... lui demanda-t-elle.

— C'est la première fois que je te découvre vulnérable, Rosie, et je trouve cela très attirant, souffla-t-il d'une voix profonde.

D'un doigt léger il redessina l'ovale parfait de son visage.

— Et nous ne nous étions pas embrassés ainsi depuis si longtemps...

— Oui, acquiesça-t-elle dans un souffle. Tu es telle-ment différent...

— Non, Rosie, la coupa-t-il un peu agacé, je suis toujours le même, c'est la situation qui a changé... Mais peut-être ne voulais-tu pas voir l'homme que je suis réellement...

— Avoue que j'ai quelques raisons d'être surprise.

— C'est vrai, convint-il un peu sèchement.

Elle leva une main tremblante et caressa doucement son visage.

— Pour être tout à fait franche, Ryan, j'ai un peu peur de ne pas m'adapter facilement à Apple Valley. Mais je te promets d'essayer...

— Je suis très heureux que tu sois là, Rosie.

— Moi aussi, dit-elle d'une petite voix.

La tension se dissipa tout à coup et il la relâcha en souriant. Il se réinstalla derrière le volant et démarra la voiture.

Ils gardèrent le silence un long moment puis Ryan, sans raison apparente, s'esclaffa joyeusement.

Elle se tourna vers lui, étonnée.

— Qu'y a-t-il de si amusant ?

— J'imaginais le métro à Apple Valley ! la taquina-t-il. Il va falloir te résoudre à apprendre à conduire et je te propose mes services comme moniteur...

— Avec plaisir, monsieur le professeur, plaisanta-t-elle. J'espère que tu sauras être patient !

Tout en regardant le paysage qui défilait sous ses yeux, elle s'absorba dans ses pensées. Ce baiser avait fait resur-gir des émotions qu'elle avait crues mortes mais qui, en fait, attendaient le moment propice pour s'épanouir à nouveau.

La voiture s'engagea dans une allée de gravier et s'ar-rêta devant un petit cottage blotti au pied d'une monta-gne boisée.

— C'est ravissant ! s'exclama-t-elle.

Ryan descendit de voiture et la contourna pour venir prendre la main de Rosemary.

— Viens, que je te fasse visiter !

Ce qui frappa tout d'abord Rosemary, ce fut le silence apaisant qui régnait. Puis peu à peu elle distingua le bruissement des feuilles agitées par la légère brise et le pépiement aigu d'un oiseau.

Elle éclata de rire en pointant l'index vers un petit animal brun qui, sur la première marche du perron, les observait de ses grands yeux ronds.

— Est-ce ce qu'on appelle un rat des champs ? lui demanda-t-elle, ravie.

— Non madame, répondit Ryan en posant le Stetson sur sa tête. C'est une marmotte.

L'épaisse pelouse était délimitée par une petite clôture blanche que des rosiers grimpants coloraient de fleurs jaunes et rouges. Elle prit entre ses mains la délicate corolle d'une fleur et approcha son visage pour en respirer le parfum subtil.

— Oh, Ryan... des vraies roses... Je crois que je vais me plaire ici.

Il l'attira contre lui et la serra entre ses bras.

— Je l'espère sincèrement, Rosie. Viens, j'ai encore quelque chose à te montrer.

Il l'entraîna vers l'arrière de la maison, un bras passé autour de ses épaules.

Rosemary eut le souffle coupé à la vue qui s'offrit à elle. Elle s'écarta de Ryan et, telle une somnambule, s'approcha de ce décor sorti tout droit d'un livre d'enfant.

Les rayons du soleil qui filtraient à travers les arbres jouaient avec l'eau limpide d'un petit torrent qui s'écoulait au pied de la montagne. Un saule pleureur, courbé par les années, se mirait dans l'onde sautillante. Des milliers de fleurs sauvages pointillaient cette clairière de taches colorées tel un tableau impressionniste.

Rosemary, émerveillée, se tourna vers Ryan qui se tenait derrière elle, bien campé sur ses jambes, s'intégrant merveilleusement à cet environnement. Elle comprit que sa place était ici, dans cette campagne, et accepta secrètement de partager ce privilège.

Une vague d'affection et de tendresse la submergea.

— Merci Ryan, c'est exactement ce dont j'avais besoin.

D'un même élan, ils s'étreignirent avec force puis Ryan s'écarta légèrement d'elle.

— Ne me remercie pas encore, Rosie, attends...

La prenant par la main, il l'entraîna vers la maison.

Le cottage était très agréable, meublé avec simplicité et chaleur.

Des tapis de laine épaisse et colorée recouvraient les parquets brillants en chêne clair et des tapisseries aux motifs naïfs et champêtres égayaient les murs de crépi blanc.

Rosemary songea qu'en l'invitant à occuper cette maison, Ryan avait peut-être voulu accentuer le contraste qui existait entre son appartement moderne de New York et ces lieux au charme rustique.

L'atmosphère y était chaleureuse et accueillante et il devait y faire bon vivre.

Ses études artistiques lui permirent d'apprécier, au premier coup d'œil, la qualité et la beauté des meubles anciens et, sauf erreur de sa part, certains avaient une valeur inestimable. La patine du hêtre et du chêne lui racontait l'histoire de ce peuple de pionniers qui s'était battu pour faire de cette région déserte une contrée civilisée.

Alors que Ryan la guidait du vestibule à la cuisine, elle eut la certitude que ce n'était pas une maison de location

ordinaire, mais une maison dans laquelle on avait vécu,
on avait aimé.

Ses présomptions se confirmèrent quand Ryan l'intro-
duisit dans la dernière pièce.

— Et voici ta chambre, Rosie, lui dit-il en ouvrant la
porte.

Un énorme lit campagnard de bois foncé, recouvert
d'un quilt au patchwork coloré, occupait la plus grande
partie de la chambre. Dans un coin, une petite coiffeuse
rudimentaire, ornée d'un pot en porcelaine émaillée,
faisait face à une chaise de bois brut. Un grand miroir
ovale, au tain piqueté par les ans, reflétait la lumière
dorée de cet après-midi. Un bureau de chêne sculpté
complétait l'ameublement.

— Mais Ryan, s'étonna-t-elle, c'est un véritable
musée !

— Tu as remarqué, n'est-ce pas ? lui dit-il, heureux.

— N'oublie pas que j'ai un diplôme d'Histoire de
l'Art, lui rappela-t-elle. Dis-moi qui peut louer une telle
maison...

Il hésita un instant, caressant de sa main le bois de la
porte sculptée.

— Tu es dans l'ancienne demeure des Tarleton, lui
avoua-t-il.

— Et tu as grandi ici ?

— Oui, mais à l'époque, elle n'était pas aussi belle.

Rosemary se souvint que Ryan avait perdu son père
étant enfant et que ce décès subit avait considérablement
amoindri les ressources de la famille. Il était toujours
resté très discret sur son passé et avait toujours refusé de
répondre aux questions qu'elle lui avait souvent posées.

Elle se reprocha alors de n'avoir pas plus cherché à
connaître l'homme qu'il était réellement.

— Ma mère, commença-t-il, avait beaucoup souffert
d'avoir été contrainte de vendre cette maison, estimant

qu'elle appartenait au patrimoine familial. Aussi dès que j'en ai eu la possibilité, je la lui ai achetée. Elle a pris un plaisir immense à la décorer et à l'aménager selon ses désirs. Elle habite toujours ici.

— Mais où est-elle actuellement ? s'inquiéta Rosemary.

— En Angleterre, chez ma sœur Beth.

— Et quand sera-t-elle de retour ?

— Pas avant trois mois. Beth doit accoucher d'ici peu et ma mère veut profiter le plus possible de ce premier bébé. Mais si cette maison ne te convient pas, je peux t'en trouver une autre...

— Es-tu sûr que ta mère acceptera la présence d'une étrangère chez elle ? insista-t-elle, un peu gênée.

— Mais oui, je lui en ai déjà parlé.

— Je trouve cette maison fantastique, Ryan, et j'aurai certainement beaucoup de plaisir à y vivre. Et puis, ajouta-t-elle en souriant, je suis touchée d'habiter ta maison natale.

— Très bien, dit-il calmement. Je suppose qu'après ce voyage, tu as envie de te rafraîchir. Je vais aller chercher tes valises. La salle de bains est derrière cette porte, lui indiqua-t-il du doigt.

— Merci Ryan, lui lança-t-elle.

Elle s'enferma dans la salle de bains et s'appuya, pensive, contre la porte.

Le miroir au-dessus du lavabo lui renvoyait le reflet d'une femme nouvelle qui allait devoir s'adapter au changement de Ryan, à la vie qui s'offrait à elle.

Elle s'approcha du lavabo et s'éclaboussa le visage d'eau fraîche.

Mais elle avait confiance.

Elle allait se montrer attentive et attentionnée et percerait à jour la vraie personnalité de cet homme si attirant.

Elle retourna dans la chambre où Ryan, ayant apporté ses valises, l'attendait.

— Je dois partir, Rosie, mais je reviendrai te chercher vers six heures. Profite de cet après-midi pour t'installer.

— D'accord, Ryan, à tout à l'heure.

Elle aspirait à la solitude pour pouvoir, tout à loisir, penser à Ryan, à elle, à cette opportunité qui, peut-être, changerait sa vie.

Mais elle ressentait également une légère crainte de devoir rester en cet endroit si isolé.

Ryan s'en aperçut.

— De quoi as-tu peur, ma chérie ? lui demanda-t-il en s'approchant d'elle.

Elle leva les yeux vers lui et lui sourit.

— Te rends-tu compte que c'est la première fois de ma vie que je vais me retrouver complètement seule dans une maison ?

Il arbora la même expression étonnée que lorsqu'elle lui avait annoncé qu'elle ne savait pas conduire.

— Je suis désolé, Rosie, lui dit-il très tendrement, j'ai tellement l'habitude de cette vie campagnarde que je n'ai même pas pensé aux problèmes que pouvait y rencontrer une citadine.

— Ne t'inquiète pas, Ryan, le rassura-t-elle en plaisantant, je devrais pouvoir survivre à cette épreuve et je peux même t'avouer que je suis ravie de cette nouvelle expérience.

CHAPITRE QUATRE

« COMMENT vais-je m'habiller pour ce dîner ? »

Rosemary ouvrit la porte de l'armoire de bois sombre aux portes finement sculptées où elle avait rangé ses affaires l'après-midi même. Elle avait sorti ses robes de ses valises et les avait suspendues aux cintres pour les défroisser.

Ryan lui avait précisé qu'ils dîneraient d'un agneau grillé au barbecue et elle élimina d'office les robes de soie et les tailleurs sophistiqués. Un jean aurait convenu à merveille, mais depuis son vingt-troisième anniversaire, elle avait abandonné cette tenue, prétextant qu'elle ne lui seyait pas.

Après bien des hésitations, elle se décida pour un pantalon rouge de toile légère qu'elle jeta négligemment sur le lit avant de décrocher une large tunique de coton brodée. Son indécision quant au choix de ses vêtements la laissa perplexe. Cela ne lui ressemblait guère. Retirant rapidement son ensemble de lin, elle se dirigea vers la salle de bains.

Quelques heures seulement s'étaient écoulées depuis son départ de New York. Elle avait laissé derrière elle l'agitation infernale de Manhattan et sa superbe villa de la Cinquième Avenue.

Dans cette maison hors du temps, il lui sembla avoir été propulsée dans un autre monde.

La salle de bains ne fit que renforcer cette impression. La pièce offrait tous les avantages du confort moderne, mais la mère de Ryan avait su préserver l'atmosphère magique de l'époque à laquelle avait été construite sa demeure. Les turquoise les violet et les ors des vitraux de la fenêtre en ogive diffusaient une lumière riche dont les reflets jouaient sur la céramique aux dessins somptueux. En tant que professionnelle, Rosemary fut impressionnée par la perfection de l'harmonie avec laquelle la maîtresse de maison avait su mettre en valeur les éléments déjà existants de cette salle de bains. La grande baignoire blanche reposait sur ses griffes de métal doré dans une alcôve dont les murs étaient recouverts de carreaux de faïence représentant une naïade aux formes harmonieuses.

Elle tourna les robinets de cuivre et s'approcha d'une étagère garnie de nombreuses petites bouteilles d'essences de plantes : géranium, ylang-ylang, rose... Elle fit couler quelques gouttes de concentré de tilleul dans l'eau chaude de son bain et s'y glissa voluptueusement. Reposant sa tête sur le bord arrondi, elle ferma les yeux et s'abandonna aux délices de ce moment de détente.

L'image de Ryan s'imprima immédiatement dans son esprit. Elle revit en imagination l'homme du monde élégant et distingué accueilli avec déférence dans les meilleurs restaurants de New York et reçu par la haute société de Manhattan. Se superposa alors à ce portrait un Ryan en bottes poussiéreuses, vêtu d'un jean et d'une large chemise écossaise, dont la virilité étonnante avait accéléré les battements de son cœur.

A trente ans, elle n'était tout de même plus une adoles-

cente, pour succomber ainsi aux attraits hors du commun
de ce séducteur ! Et pourtant, elle se sentait irrésistiblement attirée vers lui comme le bateau — perdu dans la
nuit de sa solitude sur l'immensité de l'océan — est
hypnotisé par le phare lumineux.

Elle rêva de ses bras puissants l'emprisonnant pour
l'emporter vers des plages d'un infini bonheur... sa bouche sensuelle sur ses lèvres, son corps vibrant contre le
sien, ses mains dans ses cheveux...

Mais que signifiaient ces pensées absurdes ?

Alors qu'elle se redressait brusquement, une flaque
d'eau s'écrasa sur le sol. Furieuse contre elle-même, elle
sortit de la baignoire, s'enveloppant dans une épaisse
serviette turquoise et se frictionna énergiquement
comme pour chasser de son corps en émoi le trouble
qu'avaient suscité en elle ses fantasmes.

Elle n'était en Géorgie que pour deux mois et quand
son travail serait terminé, elle rentrerait à New York.
Elle reprendrait sa vie là où elle l'avait laissée, une vie qui
l'avait toujours satisfaite. Elle se fondrait dans l'anony-
mat de la ville et serait de nouveau la brillante Miss
Addison. Pourquoi en serait-il autrement ?

Et pourtant, elle savait qu'elle s'illusionnait, qu'elle
serait confrontée une nouvelle fois à sa solitude inté-
rieure.

Tout en s'habillant, elle décida avec détermination de
chasser de son esprit ces réflexions stériles. Elle s'appli-
qua à passer une ombre verte sur ses paupières, s'absor-
bant sur le mouvement précis du pinceau, pour éviter
d'apercevoir dans le miroir la lueur d'incertitude qui
brillait au fond de ses yeux.

Sur la coiffeuse en bois de rose, elle prit un petit flacon
de cristal ciselé et, ôtant précautionneusement le cabo-
chon, huma les subtiles effluves qui s'échappaient dans

l'air. Elle versa sur ses doigts quelques gouttes du parfum au chèvrefeuille et les passa délicatement au creux de ses aisselles, derrière ses oreilles...

Quelques instants plus tard, lorsqu'elle ouvrit la porte à Ryan, elle avait réussi à retrouver une humeur gaie et insouciante.

— Bonsoir, Ryan.

Mais le sourire éblouissant qu'il lui adressa la bouleversa et elle dut se détourner pour cacher l'émotion qui l'envahit.

— Tu es très belle, Rosie.

Il entra et s'approcha d'elle, déposant un léger baiser sur son front.

— Mais tu as changé de parfum ? Il me semble reconnaître celui de ma mère...

Elle ne l'entendait plus. Son odeur épicée, ses lèvres sur les siennes et le son de sa voix avaient balayé d'un seul coup toutes ses bonnes résolutions.

— Ryan... Il faut cesser ce jeu...

— De quoi parles-tu, ma chérie ?

Elle secoua la tête, agacée par sa question faussement innocente.

— Mais de ton comportement ! Arrête de m'embrasser et de me parler de cette voix enjôleuse !

Satisfaite de son ton autoritaire, elle le fixa droit dans les yeux, puis recula de trois pas pour examiner sa tenue. Son jean était propre, sa chemise bleue parfaitement repassée et il avait pris soin de brosser ses bottes de cuir.

Surprenant son regard, il réprima un sourire amusé et moqueur.

— Je t'assure qu'un costume trois-pièces serait tout à fait déplacé là où nous allons.

Elle eut une moue désapprobatrice en se détaillant de la tête aux pieds.

— Que penses-tu de ma tenue ?

La prenant par la main, il l'entraîna vers la porte qu'il referma derrière eux.

— Tu es parfaite.

Ils roulèrent tranquillement jusqu'à Sanderson, puis arrivèrent dans un quartier résidentiel aux maisons luxueuses, entourées de jardins parfaitement entretenus. Rosemary s'émerveilla de ces parcs fleuris et doucement ombragés, songeant qu'à New York, le plus petit espace vert était entouré de gratte-ciel gigantesques.

— Stan m'a fait parvenir quelques dossiers en provenance de New York. Je dois les déposer chez la directrice des ventes. J'en ai pour quelques minutes, expliqua-t-il, tout en se garant devant une villa moderne.

Il se pencha vers la banquette arrière et attrapa son attaché-case de cuir noir.

— A tout de suite, Rosie.

Elle fut très surprise d'apercevoir par la vitre de la voiture la gracieuse silhouette féminine qui accueillait Ryan sur le pas de la porte.

Quelques instants plus tard, il revenait, accompagné d'une splendide jeune femme blonde qui se pencha vers la portière de Rosemary pour la saluer.

— Je te présente Carole Putman, directrice des ventes aux Ryan Mills.

— Je suis enchantée de faire votre connaissance, Miss Addison, répondit-elle avec gentillesse, en lui tendant la main.

Rosemary ne manqua pas de remarquer que Carole ne portait pas d'alliance et se morigéna aussitôt de cette curiosité ridicule.

— J'ai beaucoup d'admiration pour vos créations, poursuivit Carole, avec un sourire. J'espère que vous vous plairez à Sanderson.

Le profil parfait de la jeune femme se découpait sur le ciel bleu de ce jour d'été. Sa chevelure blonde accrochait la lumière et sa robe légère ne cachait rien de ses formes harmonieuses. Subitement, Rosemary eut l'impression d'avoir cent ans.

— Merci beaucoup, répondit-elle.

Elle s'efforça de conserver sa belle assurance, mais sa voix légèrement tremblante lui prouva le contraire.

— Je suis certaine que vous allez passer une excellente soirée au Barbecue Heaven.

Rosemary n'entendit pas la remarque qui fit rire Carole aux éclats. Mais sa réponse la rassura.

— Non, Andy et moi dînons chez des amis communs ce soir.

Mais peut-être qu'après tout Andy n'était que son frère ? Les affres de la jalousie étreignirent son cœur.

Quand ils sortirent du restaurant et revinrent près de la voiture de Ryan, Rosemary se plaignit :

— J'ai encore la bouche en feu.

Ryan, le visage impassible, ne sembla pas entendre sa réflexion et lui ouvrit la portière de la Lincoln.

L'enseigne lumineuse du Barbecue Heaven allumait des reflets changeants dans les yeux de Rosemary.

— Avec toute l'eau que tu as bue, cela m'étonne ! finit-il par répondre d'un ton sec.

— La sauce était vraiment très épicée, insista-t-elle pour la centième fois.

Ryan s'installa derrière le volant et d'un geste brusque tourna la clé de contact. Il démarra dans un crissement de pneus et prit la route qui les ramènerait à Apple Valley.

— Et moi je te répète que je pouvais te commander un steak.

— Cela m'ennuyait de me différencier de tes amis en mangeant autre chose.

En effet, à leur arrivée, toutes les tables étaient déjà occupées et les Madison leur avaient proposé chaleureusement de s'installer avec eux. C'était un couple proche de la soixantaine et ils avaient dégusté avec plaisir tous les plats épicés. Ils n'avaient pas tari d'éloges envers les talents du cuisinier et avaient pris Rosemary à témoin.

A la sortie de Sanderson, Ryan se décida à rompre le silence pesant qui s'était installé entre eux.

— Je n'ai guère apprécié ton attitude. Tu t'es comportée comme si tu endurais toutes les misères du monde. Tu donnais vraiment l'impression de te trouver au milieu de sauvages aux coutume barbares.

— Tu te trompes, protesta-t-elle d'un ton boudeur.

Elle se cala contre le dossier confortable de la Lincoln et croisa nerveusement les mains sur les genoux, la mine renfrognée.

— Je t'assure que tu te trompes, reprit-elle plus calmement cette fois. Je t'avais prévenu que je ne me sentirais pas à ma place ici. Ton idée de me faire venir en Géorgie ne me séduisait guère. Et si ma façon de me comporter te déplaît, je peux toujours rentrer à New York.

— Si j'ai bonne mémoire, c'est de ton propre gré que tu as signé le contrat. Je ne t'ai pas menacée, lança-t-il, sarcastique. Tu pourrais te plaire au milieu de tous ces gens si tu n'avais pas tant d'a priori, ne crois-tu pas ?

Elle le regarda à la dérobée. Les mâchoires crispées, la mine sombre, il fixait la route droit devant lui, et elle ne se souvint pas de l'avoir jamais vu ainsi. Elle en fut très contrariée. Se remémorant les heures passées au restaurant, elle dut reconnaître qu'elle s'était montrée distante et peu affable envers les amis de Ryan et elle comprenait son mécontentement.

Pourtant, Rosemary justifiait son attitude réservée par le comportement des Madison. Ils avaient parlé de New York comme d'un repaire de voleurs, de prostituées et d'assassins. Une ville où pas un seul arbre ne poussait en liberté, où les immeubles monstrueux omniprésents ne pouvaient abriter que des êtres malsains. Au lieu d'en rire, elle s'était sentie personnellement agressée. Elle s'avouait maintenant qu'elle avait eu tort de se sentir ainsi l'objet de sarcasmes qui n'existaient que dans sa tête.

A en juger par la façon dont Mme Madison avait regardé Rosemary lorsqu'elle avait avoué ne pas aimer cuisiner, elle ne doutait pas de leur opinion défavorable à son encontre.

N'était-ce pas plutôt son comportement mondain qui avait choqué ces gens simples ? N'aurait-elle pas dû être plus naturelle ?

— Je suis désolée, Ryan, avoua-t-elle sincèrement. J'essaierai d'être moins désagréable avec tes amis la prochaine fois.

— Ne recommence pas à jouer les enfants martyrs, s'il te plaît, Rosie.

— Mais que veux-tu que je dise ? explosa-t-elle soudain hors d'elle.

Elle lui jeta un regard furieux.

— Je ne te reconnais plus, Ryan. Que t'arrive-t-il ? Explique-moi !

Poussant un profond soupir, il sembla se calmer. Si Rosemary avait eu l'intention de le culpabiliser, elle y avait parfaitement réussi. Il avait espéré... Mais quoi donc, mon Dieu !

Il avait pensé qu'elle s'adapterait très bien à la vie d'Apple Valley et que le soleil du Sud réchaufferait son cœur. A son arrivée à l'aéroport, il avait espéré qu'elle se jetterait dans ses bras... Il avait souhaité qu'elle pleure de ces cinq années passées l'un sans l'autre. Etait-il donc si égoïste ?

« Sois honnête avec toi-même, Tarleton. Elle t'avait prévenu dès le départ qu'elle ne pouvait envisager avec toi autre chose qu'une simple amitié. »

— Pardonne-moi, chérie, dit-il doucement en prenant sa main dans la sienne.

Elle posa sa tête sur son épaule et il l'enveloppa d'un regard tendre.

— Tu as toujours été très indépendante. J'aurais dû me rendre compte que tu ne te sentirais pas en sécurité à Apple Valley.

Il sembla à Rosemary que Ryan l'accusait tout simplement à mots couverts de manquer de maturité. Mais elle prit conscience de la vérité de ses paroles. Elle se promit d'essayer de s'acclimater à cette région pendant les deux mois qu'elle devait passer en Géorgie. Pourtant, elle avait hâte de retrouver New York. Mais cette idée ne la satisfaisait pas non plus. Elle se doutait que ce n'était pas en se refermant de plus en plus dans sa coquille qu'elle trouverait une solution à ses problèmes. Où étaient donc ses bonnes résolutions du matin ?

Ryan gara la Lincoln dans la petite allée du jardin de la maison. Il arrêta le moteur, mais avant de descendre, il emprisonna Rosemary dans ses bras. Surprise, elle leva la tête vers lui et chercha à déchiffrer l'expression de son visage. Lentement, elle se détendit et s'abandonna à sa chaleur réconfortante.

— Es-tu fatiguée ? demanda-t-il d'un ton anodin.

— Oui, un peu.

Il lui sourit gentiment et lui effleura la joue, d'un geste affectueux.

— C'était en effet une journée très importante pour toi.

— Pardonne-moi encore, Ryan, si j'ai été désagréable avec tes amis. J'espère ne pas avoir gâché ta soirée.

— N'y pense plus, Rosie. Les Madison ne se formaliseront pas.

— Je vais essayer de bien dormir cette nuit et peut-être demain serai-je moins tendue ?

— Tu as raison.

Elle remarqua la tristesse qui transperçait dans sa voix. Il la regarda longuement, comme s'il voulait deviner les mystères de son cœur.

Rompant le charme de cet instant, il desserra son étreinte et descendit de voiture. Il contourna la Lincoln et vint ouvrir la portière de Rosemary.

Elle suivit des yeux sa haute silhouette, inexplicablement déçue. Qu'attendait-elle de plus ? Qu'il l'embrasse peut-être ?

La prenant par la main, il l'entraîna dans l'allée du jardin.

Elle aurait voulu poursuivre la soirée près de lui, songea-t-elle, en fouillant dans son sac, à la recherche de sa clé. Soudain, elle se rappela qu'elle ne l'avait pas prise en partant.

— J'espère que tu as un double, Ryan ? s'enquit-elle inquiète.

— C'est inutile, la porte est ouverte.

— Comment ? Ouverte ?... Mais c'est insensé !

— A Apple Valley, personne ne songe à se protéger des voleurs.

— Mais cette villa est tellement isolée ! Et tous les objets de valeur de ta mère ?...

— Ce n'est pas une simple serrure qui arrêtera un homme décidé à entrer par effraction.

Elle s'étonna de la lueur d'amusement qu'elle lut dans ses yeux.

— Tu pourrais au moins leur rendre le travail un peu plus difficile !

— Détends-toi, Rosie. Nous sommes ici dans une petite ville où chacun connaît chacun. La route est très peu fréquentée et si une voiture étrangère rôde dans les parages, le shérif s'empresse de vérifier ce qu'il en est, ajouta-t-il en riant franchement.

— Arrange-toi pour trouver une clé, s'il te plaît, je n'ai pas l'intention de dormir dans une maison ouverte à tous les vents.

Il porta la main à ses lèvres.

— Tu m'as mal compris, Rosie. Il n'est pas question de ne pas fermer les verrous quand on est à l'intérieur.

Refusant de poursuivre plus longtemps cette conversation, elle s'avança vers le perron et monta la première marche. Tout naturellement, elle s'attendit à ce qu'il la suivît. Mais, la retenant par le poignet, il l'arrêta dans son élan et elle se retourna face à lui.

La nuit était tombée. La lune, dans son premier quartier, éclairait d'une pâle lueur le visage de Ryan, lui cachant son expression. Les ombres gigantesques des arbres se découpaient sur le ciel étoilé et seul le chant des criquets troublait le silence immobile de cet instant magique.

Une tension presque palpable les enveloppa et Rosemary, soudain mal à l'aise, chercha à rompre le silence. Mais tous les mots anodins qui montaient à ses lèvres lui parurent trop faibles pour briser l'émotion tangible qui les réunissait.

Dans un geste romantique, il se pencha sur les doigts effilés de Rosemary et baisa légèrement la paume de sa main. Elle se sentit défaillir soudainement.

— Ryan, je t'en prie...

Mais qu'attendait-elle de lui ? Désirait-elle qu'il la libérât de cette douce torture ou au contraire le suppliait-elle de l'embrasser passionnément ?

Il prit son visage entre ses mains et caressa doucement ses cheveux.

— Rosie. Je n'avais aucune arrière-pensée en te demandant d'accepter ma proposition de venir en Géorgie. Mais depuis l'instant où tu m'es apparue à l'aéroport, je n'ai plus songé à toi que blottie dans mes bras, ton corps si désirable contre le mien...

Contrairement à ce qu'elle avait toujours redouté, elle se sentit pleinement heureuse de cet aveu.

— Oh... Ryan... moi aussi.

Il l'attira contre lui et l'embrassa avec fougue. La main de Ryan s'insinua sous la tunique brodée dans un frôlement délicieux, descendit sur la courbe douce de ses reins et, à ce contact, elle sentit son cœur battre à coups précipités dans sa poitrine.

Tour à tour les lèvres de Ryan se posèrent sur sa bouche, puis se refermèrent sur le lobe de son oreille, effleurèrent ses paupières frémissantes, se blottirent au creux de sa gorge.

— Depuis cinq ans, je croyais m'être résigné à l'idée que tu ne m'appartiendrais jamais. A présent, je ne cesse d'imaginer à quoi tu ressembles, tes longs cheveux épars sur l'oreiller, le goût de ta peau, la chaleur de ton corps nu près du mien...

Elle enfouit son visage contre sa poitrine.

— Laisse-moi le temps de m'habituer, murmura-t-elle.

— Ne t'inquiète pas, nous avons maintenant toute la vie devant nous. Il nous faut apprendre la prudence pour ne pas gâcher ce bonheur qui nous attend.

C'est elle cette fois qui approcha sa bouche de celle de Ryan et le baiser qu'elle lui donna était la promesse de mille félicités.

CHAPITRE CINQ

Rosemary était assise sur les marches du perron, le menton entre les mains, et regardait pensivement la grosse voiture rouge garée dans l'allée.

Pourquoi Ryan l'avait-il choisie aussi voyante ? Et aussi énorme ?

Une heure plus tôt, la sonnette d'entrée avait retenti. Elle s'était levée d'un bond et avait enfilé rapidement un peignoir. Lorsqu'elle avait ouvert la porte d'entrée, un chauffeur d'une cinquantaine d'années lui avait fourré un bordereau sous le nez avec un grand sourire. Encore endormie, elle avait signé au bas de la feuille et l'homme était reparti en sifflotant.

A présent, elle attendait Ryan d'une minute à l'autre. Il arriva bientôt au volant d'une camionnette, rouge elle aussi.

— Bonjour ! lança-t-il joyeusement en claquant la portière.

Rosemary ne leva même pas les yeux. D'un œil morne, elle fixa ses bottes poussiéreuses.

— Qu'y a-t-il, Rosemary ? Tu ne sembles guère

réjouie ce matin. Le barbecue te pèserait-il encore sur l'estomac ?

Ce n'était pas le barbecue qui avait tenu Rosemary éveillée une bonne partie de la nuit. Au départ, ce fut le trouble dans lequel l'avait plongée le baiser de Ryan. Puis le souvenir d'un Ryan et d'une Rosemary plus jeunes courant sur une place de Long Island...

Ensuite, aux environs de deux heures du matin, un concert de bruits étranges s'était déclenché sous sa fenêtre, l'empêchant de s'assoupir.

Malgré sa fatigue, Rosemary ne résista pas à la tentation de se lever et de venir poser sa tête sur la poitrine de Ryan.

— Je n'ai pas très bien dormi, avoua-t-elle.

Ryan prit son visage entre ses mains.

— Moi non plus, tu sais.

Rosemary leva la tête vers lui et rencontra l'expression amusée de ses yeux. Apparemment, il sortait juste de la douche. Ses cheveux étaient encore humides et de séduisantes boucles mouillées dessinaient des points d'interrogation inversés sur son front. Irrésistiblement, elle se sentit attirée par ses lèvres sensuelles.

« Non, se sermonna-t-elle, pas à nouveau... »

Vivement, elle détourna la tête. Si Ryan n'avait pas l'intention de faire allusion à leur baiser, elle non plus.

— Ryan, qui sont ces... choses qui ont fait un bruit d'enfer sous ma fenêtre toute la nuit ?

Ryan rejeta la tête en arrière et éclata de rire.

— Rassure-toi, ma chérie, ces petites bêtes sont inoffensives. Ce sont des « grenouilles d'arbres » comme nous les appelons dans la région, expliqua-t-il. Elles sont à peu près aussi grosses que ton ongle.

Rosemary fronça les sourcils, incrédule.

— J'ai peine à te croire. Comment des créatures aussi petites réussiraient-elles à provoquer un tapage pareil ?

— Sans doute quelques criquets sont-il venus se joindre à elles pour te chanter une sérénade au clair de lune,
plaisanta Ryan. Allez, ressaisis-toi. Le petit déjeuner
nous attend. Tu auras besoin de forces pour ta première
leçon de conduite.

— J'ai déjà déjeuné, lui annonça Rosemary en grimpant à l'intérieur de la voiture flambant neuve.

Des sièges se dégageait un parfum de cuir chauffé au
soleil et le tableau de bord de bois, un peu démodé, lui
plut aussitôt. Regardant par-dessus son épaule, Rosemary remarqua que l'arrière du véhicule était suffisamment spacieux pour accueillir le matériel dont elle aurait
besoin pour son travail. Le seul problème que posait
cette voiture était qu'elle ne pouvait pas la conduire.

Ryan se glissa derrière le volant et oublia volontairement ce qu'elle venait de lui dire.

— Un café et un jus de fruit ?

— Seulement si tu insistes. C'est tout ce que je me sens
capable d'avaler le matin.

— Eh bien, tu toléreras une entorse à la routine. Car
aujourd'hui, je me promets de te faire déguster un festin
de roi.

— Est-ce toi qui l'as préparé ? demanda Rosemary
avec un sourire.

— Rassure-toi, tu ne mourras pas empoisonnée. De
temps à autre, un cuisinier retraité de la marine vient
travailler pour moi. Il s'appelle Zack. Tu verras, vous
vous entendrez bien. Il a investi la cuisine à six heures du
matin, tout excité à l'idée de faire goûter ses plats à une
célèbre dessinatrice de New York. Il sera très déçu si tu
ne fais pas honneur à sa cuisine.

Rosemary l'observa à la dérobée, s'attendant à distinguer une lueur de sarcasme dans ses yeux. En pure perte.
Elle haussa les épaules, doutant sincèrement de l'impor-

tance que son enthousiasme revêtait aux yeux de Zack.
Elle s'abstint toutefois de tout commentaire.

Petit à petit, elle apprenait que s'opposer à Ryan Tarleton dans sa ville natale ne la menait nulle part. Il avait
décidé de lui apprendre à conduire, elle conduirait. Il
avait décidé qu'elle mangerait, elle mangerait.

A New York, peut-être avait-elle plus ou moins donné
le ton à leurs relations. Mais en Géorgie, il prenait sans
conteste les choses en main.

Elle observa les manœuvres de démarrage et elles lui
parurent sans difficulté. Quelques centaines de mètres
plus loin, Ryan engagea la voiture dans un chemin large
bordé d'arbres immenses aux feuilles brillantes.

— Ce sont des magnolias, n'est-ce pas ? demanda
Rosemary, frappée par la beauté de leurs fleurs.

— Tu es très observatrice, Rosie.

— Leurs feuilles sont couramment utilisées en décoration, mais j'ignorais que ces arbres puissent atteindre
cette taille.

Pour mieux les contempler, elle se pencha par la vitre
et, surprise, constata que la maison de Ryan était en fait
une ferme.

Lorsqu'il coupa le moteur et contourna la voiture pour
ouvrir sa portière, elle réalisa qu'absorbée dans la
contemplation du paysage, elle avait oublié d'observer
les manœuvres de Ryan.

— C'est magnifique ! s'exclama-t-elle en sortant de la
voiture, oubliant complètement le but de cette promenade.

Des petits croisillons de bois blanc suivaient la courbe
des collines avoisinantes et une grange gigantesque flan-
quée d'étables était construite au bord de champs si verts
qu'ils semblaient recouverts d'une des moquettes de
Ryan. Du bétail paissait tranquillement au loin.

Dans un pré proche de la maison, un groupe de chevaux splendides caracolaient. Rosemary en compta huit, dont trois poneys.

— Mais Ryan, où trouves-tu le temps de t'occuper de tous ces animaux ?

— Cette ferme est mon havre de paix, répondit Ryan en souriant. Un métayer s'en occupe. Après une journée à l'usine, rien n'est plus détendant que de relever ses manches et mettre la main à la pâte.

Rosemary ne put s'empêcher de promener son regard sur la musculature splendide de Ryan et elle sentit son estomac se nouer. L'impression de force qui émanait de lui témoignait largement de ses activités physiques.

— La propriété n'est pas immense, poursuivit Ryan. Elle ne couvre que sept hectares, mais je m'y plais énormément. Quand je prendrai ma retraite, c'est ici que je viendrai vivre.

— Je ne comprends pas, n'est-ce pas ici que tu vis déjà ?

— Pas suffisamment. Je suis obligé de voyager beaucoup plus que je le voudrais.

Sans lui fournir d'autres explications, Ryan jeta un coup d'œil sur sa montre avant de lui prendre la main.

— Il nous reste quelques minutes. Viens, je vais te faire visiter, dit-il en l'entraînant vers une étable.

— La ferme appartenait-elle à ta famille ?

Ryan s'arrêta net, surpris par cette question. Soudain, il éclata de rire.

— Non, Rosie. Nous étions des métayers plutôt pauvres. Nos possessions se limitaient aux vêtements que nous portions sur le dos. Et encore, nous n'en avions pas beaucoup.

— Mais le cottage ? insista Rosemary.

— La maison où tu habites ? Elle a été construite par mon arrière-grand-père. Ma famille a tout perdu, même cette demeure, pendant la grande dépression. Tu dois savoir que cette région a été dévastée la première par la guerre.

Rosemary secoua la tête, sans comprendre.

— Je parle de la guerre de Sécession, précisa Ryan. Au moment où le conflit allait prendre fin et où le pays commençait à se relever, la grande dépression est survenue. Aujourd'hui, la Géorgie est une région prospère, grâce à l'industrie textile, surtout. J'ai acheté cette maison et je l'ai fait restaurer complètement car ma mère y était très attachée. Mais je ne veux plus y vivre.

A travers ces mots, Rosemary devina toute la douleur et le désarroi du jeune garçon qu'avait été Ryan, et pour la première fois, comprit la longueur du chemin qu'il avait parcouru.

Lorsqu'elle l'avait rencontré cinq ans auparavant, elle avait senti qu'il avait l'étoffe pour bâtir un véritable empire industriel. Mais à présent, l'ampleur de son succès la laissait sans voix. Comme elle devait lui paraître superficielle !

Elle aussi avait gravi les échelons du succès, mais la fortune de ses parents l'y avait grandement aidée. Elle avait vécu une enfance dorée. Ses études avaient été payées par un père adorant sa fille et elle avait fréquenté les meilleures écoles du pays. Pas un instant elle n'avait craint l'échec, sachant que son mode de vie ne dépendait pas de sa réussite sociale.

Partir de rien, ainsi que Ryan l'avait fait, nécessitait une ambition et une force de caractère étonnantes.

— Je t'admire beaucoup, Ryan, ne put-elle s'empêcher de murmurer.

Alors qu'ils allaient franchir les larges portes de la grange, Ryan se retourna et embrassa du regard la campagne qui se déployait devant lui. Il semblait avoir totalement perdu conscience de la présence de Rosemary à ses côtés.

Tout à coup, il plongea les mains dans les poches de son pantalon et, se tournant vers elle, la dévisagea avec intensité.

— Tu en es responsable, pour une grande part.

Rosemary leva brusquement la tête vers lui, au comble de l'étonnement.

— Moi ?

Ryan la contempla longuement et Rosemary retint son souffle, réalisant qu'il était sur le point de s'ouvrir à elle et lui révéler un aspect important de lui-même.

— Lorsque je t'ai rencontrée, je croyais ma réussite établie. J'avais obtenu mes diplômes et réussi à créer mon entreprise grâce à la confiance que m'avaient accordée les banques. La filature réalisait déjà d'importants bénéfices. C'est à cette époque que je me suis rendu à New York pour essayer de débloquer des crédits d'investissement. Lawrence Shaw, mon interlocuteur à la banque, m'a invité à passer le week-end chez lui à Long Island.

Sur les lèvres de Ryan se dessina un sourire triste et doux.

— Je suppose que je me croyais invincible. Mais en l'espace de deux jours, j'ai perdu la tête, comme on dit. T'en souviens-tu ?

Rosemary hocha silencieusement la tête.

— Ton père est arrivé le dimanche avec la lettre d'embauche que tu avais attendue si longtemps. Je n'oublierai jamais ton enthousiasme.

Ryan haussa les épaules, n'osant rien ajouter.

— Depuis ce jour, reprit-il, j'ai canalisé toute mon énergie dans les affaires.

C'était la première fois que Ryan évoquait la douleur qu'il avait ressentie quand elle avait refusé de l'épouser. Des larmes perlèrent à ses paupières et elle détourna vivement la tête, s'essuyant furtivement les yeux. Elle fixait sans le voir l'intérieur de la grange, insensible aux parfums des animaux, du cuir poli et de la paille, ces impressions qui lui étaient totalement étrangères n'accroissant que davantage le fossé qui la séparait de Ryan.

Bien sûr, il n'avait pas compris son rejet. A l'époque, elle était beaucoup trop jeune pour reconnaître la profondeur des sentiments du jeune homme.

— Il m'a fallu une année pour pouvoir me résoudre à te revoir.

Rosemary se souvenait très bien de l'année à laquelle il faisait allusion. Elle avait travaillé d'arrache-pied, se demandant sans cesse si la réussite valait les efforts qu'elle devait fournir. Heureusement, les encouragements répétés de son père l'avaient incitée à persévérer. Si elle avait pu alors passer une semaine de plus avec Ryan, si son père n'était pas venu, Dieu seul sait ce qui serait arrivé entre elle et Ryan...

Ryan semblait suivre le cheminement de ses pensées avec une intuition troublante.

— Si tu n'avais pas été acceptée par la DRI, j'aurais probablement renouvelé ma demande en mariage et je me serais sans doute contenté de la petite usine que j'avais créée. Nous aurions vécu dans l'aisance.

— Relative, en comparaison de la fortune dont tu jouis à présent, se força à dire Rosemary avec une légèreté qu'elle était loin de ressentir.

Ils reprirent leur promenade le long des écuries.

— C'est certain, reconnut Ryan, avec un sourire énigmatique.

— Dans le fond, tu dois te réjouir qu'à cette époque seule ma carrière m'ait intéressée ?

Ryan éclata de rire et Rosemary songea instantanément que sa gaieté était forcée.

— J'ai perdu l'amour, mais j'ai trouvé l'amitié, murmura Ryan.

— Et beaucoup d'argent, ajouta-t-elle.

— Et beaucoup d'argent, reconnut-il, mais l'amie passera toujours avant tout...

Soudain, une lueur de dérision pour lui-même traversa son regard. Il haussa les épaules avec désinvolture et glissa un bras sous celui de Rosemary.

— Allez, viens. Zack va s'impatienter.

La chaleur du bras de Ryan contre le sien relâcha la tension dont Rosemary était la proie depuis qu'il avait commencé à parler, mais ne soulagea en rien la culpabilité qu'elle ressentait à l'avoir blessé, malgré son jeune âge et son inconscience de jadis. De plus, l'incertitude qu'elle éprouvait quant aux sentiments actuels de Ryan à son égard accroissait son trouble.

Devinant son désarroi, Ryan l'obligea à lui faire face.

— Allez, Rosie. Cette histoire appartient au passé, maintenant. Ce que nous sommes devenus, l'amitié qui existe entre nous maintenant, est mille fois préférable.

— En es-tu sûr ? lui demanda-t-elle, soulagée.

— J'en suis certain. Je préfère la femme que tu es aujourd'hui à la jeune fille que tu étais à l'époque.

— J'en suis heureuse, Ryan, parce que je ne pourrais jamais revenir en arrière.

Leurs regards se croisèrent, empreints de tendresse. Ryan attira doucement Rosemary à lui et l'embrassa.

La maison était d'un style géorgien très simple, avec de très hauts plafonds et de vastes pièces. Le mobilier hétéroclite semblait disposé un peu au hasard, plus pour la commodité que pour le plaisir des yeux. Visiblement, Ryan n'accordait guère d'importance à son intérieur.

— Pendant ton séjour ici, Rosie, tes suggestions de décoration seront les bienvenues, lui dit-il comme s'il avait deviné ses pensées.

Instantanément, l'artiste qu'elle était réagit et cette proposition enthousiasma Rosemary.

— Me donnes-tu carte blanche ?

Ryan passa affectueusement le bras sur ses épaules.

— Absolument.

— Peut-être pourrais-je faire venir quelques-uns des meubles anciens que j'ai déposés en garde. Je suis sûre que ce décor leur conviendrait parfaitement.

Imperceptiblement, Ryan se raidit et sa réaction n'échappa pas à Rosemary. Qu'avait-elle donc dit ? Elle leva un regard anxieux vers lui, mais il souriait.

— Il est inutile de t'en séparer. Tu pourrais en avoir besoin un jour...

La prenant par la main, il la précéda jusqu'à une pièce confortable et ensoleillée où la table avait été dressée pour deux personnes. Après l'avoir fait asseoir, il retourna vers la porte.

— Je vais prévenir Zack que nous sommes prêts.

Restée seule, Rosemary laissa errer son regard au-delà des petits carreaux biseautés de la fenêtre vers une large véranda qui s'étendait sur toute la largeur de la maison. Son imagination se mit à galoper. Si leur histoire s'était déroulée différemment, cette maison serait peut-être la sienne, aujourd'hui... Mais la vie en avait décidé autrement.

De toute façon, elle aurait peut-être regretté de ne pas avoir poursuivi sa carrière et, un jour ou l'autre, elle aurait sans doute reproché à Ryan son ambition insatisfaite.

L'arrivée de Zack interrompit le cours de ses réflexions. Zack était un homme d'une cinquantaine d'années, aux tempes argentées. Tandis que Ryan faisait les présentations, il considéra Rosemary en souriant et posa devant elle un plateau chargé de bacon, de saucisses, de jambon, d'œufs et de toasts. Il ressortit aussitôt et revint avec une coupe de fruits frais et un soufflé au fromage odorant.

— J'apporterai les biscuits en même temps que le café. Y a-t-il quelque chose qui vous ferait plaisir et que j'aurais oublié ?

— Je crois que nous avons tout ce qu'il nous faut, Zack, répondit Ryan avec un sourire amusé. J'espère que Miss Addison est aussi affamée que moi car tu n'as pas lésiné sur la quantité.

— Tout a l'air si délicieux, s'empressa Rosemary d'ajouter.

À la vue de ce petit déjeuner pantagruélique, elle réalisa soudain à quel point elle avait faim, elle aussi. Sans nul doute, l'air de la campagne avait dû aiguiser son appétit de citadine.

Ryan se pencha vers elle et attacha sa ceinture de sécurité.

— Rosemary, dit-il d'un ton professoral en lui montrant la petite clé plate qu'il tenait entre ses doigts, ceci est une clé de contact.

La jeune femme l'interrompit avec un geste d'impatience.

— Ryan ! protesta-t-elle. Je ne suis tout de même pas aussi ignare ! Je suis déjà montée dans une voiture, tu sais. Apprends-moi simplement à la conduire.

Avec un haussement d'épaules, Ryan se renfonça dans son siège.

— D'accord. Démarre.

Obtempérant, Rosemary tourna la clé et le moteur se mit à ronronner. Fière, elle se tourna vers lui, l'air satisfait.

Une heure plus tard, le front de Rosemary était couvert de transpiration. Les jointures de ses doigts la faisaient souffrir à force de se crisper sur le volant et sa jambe droite était agitée d'un tremblement nerveux incontrôlable.

Ryan n'avait rien à lui envier. Sur son front, une grosse bosse commençait à enfler. Il avait pensé à attacher la ceinture de sécurité de Rosemary, mais avait bien entendu oublié la sienne.

— Ryan, si tu cessais de me crier après... commença Rosemary, sur la défensive.

— Et toi, si tu étais un peu plus docile ! rétorqua-t-il, la mâchoire tendue. Relâche ton pied de la pédale d'accélération ! Doucement, bon sang ! Tu n'es pas en train de t'entraîner pour les vingt-quatre heures du Mans, que je sache !

Rosemary marmonna entre ses dents et essaya de suivre ses conseils. La voiture repartit à une allure plus raisonnable.

— Ne quitte pas la route des yeux, s'irrita Ryan alors que Rosemary lui lançait un regard noir.

Elle lui adressa un clin d'œil espiègle et lui tira la langue effrontément. Brusquement, Ryan s'empara du volant.

— Attention ! Voilà un camion en sens inverse ! Surtout garde bien ta droite.

Au comble de l'énervement, Rosemary serra le volant de toutes ses forces. Une des roues toucha alors le bas-côté et l'arrière du véhicule chassa vers la gauche. Fort heureusement, le conducteur du camoin parvint à éviter la collision. Ce qui ne l'empêcha pas de klaxonner rageusement, accroissant la panique et l'énervement de Rosemary qui donna alors un coup de volant brusque pour redresser son véhicule.

— Rosie ! hurla Ryan.

Il était déjà trop tard. Les deux roues avant venaient de s'enfoncer dans une ornière profonde remplie de boue.

Ryan poussa un soupir exaspéré et rejeta la tête en

arrière, posant la main sur son front. Un silence tendu s'installa dans la voiture. Les mains toujours agrippées au volant, Rosemary regardait fixement devant elle, attendant l'explosion de colère de Ryan.

— Et si je cherchais quelqu'un pour te conduire jusqu'à la filature tous les jours ? Ce serait finalement beaucoup plus simple, dit soudain Ryan, dont le calme surprit Rosemary.

— Non ! s'exclama-t-elle. J'apprendrai à conduire toute seule. Même si je dois me tuer.

— Toi ou quelqu'un d'autre, rétorqua Ryan, sarcastique en frottant la bosse qui déformait son front.

Rosemary ne répondit rien. Ryan soupira profondément et ouvrit sa portière. Alors que Rosemary allait suivre son exemple, il l'arrêta sèchement.

— Attention à la...

A son expression et à la fraîcheur humide qui enveloppa ses pieds, elle comprit que ce conseil arrivait malheureusement un peu tard.

— ... boue.

Baissant les yeux, elle vit que ses chaussures s'enfonçaient lentement dans une mare brunâtre. Posant les bras sur le toit de la voiture, elle se prit la tête entre les mains et gémit.

Ryan se gara dans l'allée à quelques mètres seulement de la camionnette. Eteignant le moteur, il sortit de la voiture en prenant ostensiblement les clés de contact.

— Aïe, murmura-t-il, alors que ses pieds rencontraient le gravier.

Ses pas hésitants évoquaient ceux d'un danseur dont les plantes des pieds seraient recouvertes d'ampoules et Rosemary porta la main à sa bouche pour contenir son fou rire. Il lui suffisait de se rappeler la fureur de Ryan ahanant et soufflant pour sortir la voiture de l'ornière pour comprendre que son accès de gaieté serait probablement très mal accueilli. Une demi-heure plus tôt, avec une politesse glaciale, Ryan l'avait enjointe sèchement de remonter en voiture. Ses bottes dégoulinantes de boue avaient achevé de porter sa colère à son comble.

Contournant maintenant la voiture, il alla ouvrir le coffre et sortit ses bottes maculées.

— Je viendrai te chercher demain matin à huit heures. Nous irons ensemble aux filatures.

Il hésita un instant avant de poursuivre.

— Tu as faim ?

— Au beau milieu de l'après-midi ? Non, répondit-elle brièvement.

Ryan parut sur le point d'ajouter quelque chose, mais elle ne lui en laissa pas le temps.

— A demain, marmonna-t-elle, sans quitter son siège.

Elle resta immobile jusqu'à ce que le bruit du moteur de la camionnette mourût au loin.

Que se passait-il ? se demanda-t-elle. Comment deux personnes aussi amies qu'elle et Ryan, qui jamais n'avaient échangé une seule parole désagréable en cinq ans, pouvaient-elles se comporter subitement comme les pires ennemies de la terre pour un incident insignifiant ?

Avec un soupir, elle sortit de voiture et claqua la portière derrière elle. Une bonne douche et des vêtements propres la remettraient d'aplomb. Avec désespoir, elle se souvint alors que la maison n'était pas équipée de sanitaires modernes. Comme elle regrettait de ne pas avoir insisté pour séjourner dans un motel des environs... Mais Ryan ne lui avait pas laissé le choix.

Revenant sur sa décision de rentrer directement, elle contourna la maison et se dirigea vers la petite colline avoisinante. Sous ses pas, les aiguilles de pin crissaient et, à mi-chemin de la pente, elle s'arrêta.

S'asseyant sur un tronc d'arbre coupé, elle encercla ses

genoux de ses bras. Une brise légère agitait les branches des arbres au-dessus d'elle. Etrangement, pour une citadine, elle réalisa qu'elle appréciait beaucoup les murmures et les parfums que lui prodiguait la forêt, et bientôt, son ressentiment et sa mauvaise humeur cédèrent la place à une sensation de paix intense.

Posant le front sur ses bras, elle ferma les yeux. Quelques secondes plus tard, un léger bruit attira son attention.

Levant brusquement la tête, elle regarda autour d'elle. Tout d'abord, elle ne vit rien d'anormal et se leva. Ce n'était pas un oiseau. Ce n'était pas non plus le bruissement des feuilles sous le vent.

Prudemment, elle tendit la main vers un tronc d'arbre creux et souleva quelques feuilles de chêne séchées. L'obscurité à l'intérieur du tronc était si dense qu'elle n'aperçut pas tout de suite la petite créature. Lorsqu'enfin ses yeux aveuglés par le soleil se furent accoutumés à la pénombre, elle distingua les formes douces d'un petit chaton à peine plus gros que la paume de sa main.

Le dos rond et la queue hérissée, le petit animal la contemplait de ses yeux furieux et apeurés.

— D'où viens-tu ? murmura Rosemary, attendrie.

Le chaton se détendit imperceptiblement et inclina la tête au son doux de sa voix. La femme et le chat s'étudièrent un long moment, indécis.

Enfant, Rosemary n'avait jamais possédé d'animal de compagnie car son père les tenait en horreur. Un jour, elle l'avait supplié d'acheter un chiot, mais son père lui avait expliqué qu'un chien en appartement n'était qu'une source de complications.

Adulte maintenant, elle hésitait encore à céder à l'impulsion de ramener le chaton perdu chez la mère de Ryan. Lorsqu'elle fit un pas en avant, l'animal recula, effrayé.

— Je ne te veux aucun mal, lui promit-elle, à voix presque basse.

Avançant la main, elle caressa du bout du doigt la fourrure soyeuse et, instinctivement, il recula en miaulant plaintivement.

— Mon pauvre petit matou... Tu es terrorisé, n'est-ce pas ?

Elle parvint enfin à l'attraper et, aussitôt, fut conquise. Tous deux se ressemblaient, songea-t-elle, et l'envie de l'adopter fut plus forte que l'embarras certain qu'il lui procurerait dès son retour à New York.

Elle rentra dans la maison et se dirigea vers la cuisine. Là, elle découvrit avec surprise que quelqu'un avait eu la délicatesse de remplir le réfrigérateur et les placards de provisions.

Elle trouva des filets de saumon frais et elle en posa un sur une petite assiette qu'elle tendit au chat. Les minuscules yeux verts contemplèrent un instant ce repas tombé du ciel, mais le chaton resta immobile. Il était si jeune qu'il préférait sans doute le lait.

Entrouvrant le réfrigérateur, elle hésita à nouveau. Devait-elle le réchauffer ?

Un coup frappé à la porte interrompit ses hésitations.

— Mais bon sang, où étais-tu ? s'exclama Ryan, sur le seuil, visiblement inquiet.

— Je... euh... balbutia Rosemary.

Jetant un coup d'œil sur la bouteille de lait qu'elle tenait à la main, Ryan ouvrit grands les yeux.

— C'est tout ce que tu comptes avaler pour le dîner ?

Manifestement, son humeur s'était considérablement améliorée depuis une heure.

— Regarde ce que je viens de trouver, lui dit-elle, espérant qu'il ne congédierait pas aussitôt le pauvre chaton.

Apercevant la petite tête qui dépassait du meuble derrière lequel il s'était réfugié à son arrivée, Ryan ne put réprimer un sourire.

— Il est adorable !

Se penchant, il prit le chat entre ses mains.

— Contrairement à ce que l'on pense, le lait n'est pas l'aliment idéal pour les chats, annonça-t-il, déjà conquis.

Un soulagement intense s'empara de Ryan. Il avait traversé un moment de panique lorsque Rosemary n'avait pas répondu à son coup de téléphone. Il avait imaginé le pire, certain qu'elle était repartie à New York. Maintenant, il tenait l'explication de son silence et il était prêt à tout accepter de sa part, même ce petit compagnon.

— J'ai essayé de te joindre pour m'excuser d'avoir perdu patience, Rosemary. Et je venais t'inviter à dîner pour réparer.

— Ecoute, Ryan, tu n'as pas à t'excuser. J'ai moi-même été insupportable, je m'en rends très bien compte.

Nerveusement, elle caressa le chaton que Ryan avait reposé à terre et qui, enfin, s'attaquait goulûment à son assiette de saumon frais.

— De toute façon, cette journée en voiture m'a épuisée et j'avais l'intention de me coucher tôt. Une autre fois, Ryan. D'accord ?

Déçu, Ryan s'éloigna vers la porte.

— Comme tu voudras, Rosie. A demain matin, dans ce cas.

Sur le seuil, il se retourna.

— Comment vas-tu appeler ce petit poussah ?

Les yeux de Rosemary suivirent le regard de Ryan et se posèrent sur le petit chat qui, rassasié, avait entrepris une grande toilette.

— Poussah est un nom excellent, décida-t-elle.

Ryan hocha la tête.

— Repose-toi bien, Rosie, dit-il avec un sourire. Espérons que nous dormirons mieux cette nuit...

Elle n'était pas certaine d'apprécier le clin d'œil malicieux qu'il lui adressa avant de refermer la porte derrière lui.

CHAPITRE SIX

Les nuages bas en ce début de matinée rendaient maussade la campagne géorgienne. Les arbres défilaient devant les yeux de Rosemary et Ryan tandis qu'ils se dirigeaient vers les filatures.

— Charles Davis est un pessimiste né, déclara Ryan en accélérant dangereusement dans un virage. Mais ne te laisse pas duper, c'est un véritable génie en art décoratif.

L'inquiétude de Rosemary transparaissait sous ses traits fins.

— Que pensera-t-il d'une débutante qu'on lui impose ? demanda-t-elle subitement.

— Ne t'inquiète pas, la rassura-t-il en entrelaçant tendrement ses doigts aux siens. Et puis, tu es loin d'être une débutante.

— J'aimerais en être aussi sûre que toi...

Bien que Rosemary ait généralement confiance en elle, elle ressentait toujours cette nervosité impuissante lorsqu'elle entamait un nouveau projet. Ces émotions passagères l'inhibaient plus qu'elles ne la stimulaient, et elle avait immanquablement l'impression que l'angoisse précédant ces instants l'étoufferait, qu'elle serait à court d'idée, que jamais elle ne pourrait être créative...

Ryan porta gentiment sa main à ses lèvres.

— Détends-toi, Rosemary... Je t'assure que tu as l'air très professionnelle, ce matin. Et très belle aussi...

Même ce compliment ne parvint pas à la distraire. Elle lissa le revers de son tailleur gris d'une main nerveuse.

— Merci, murmura-t-elle machinalement.

— Mais de quoi ? la taquina-t-il, essayant d'alléger son humeur sombre.

— Ryan... Je ne sais toujours pas pourquoi je me suis laissé convaincre par toi. Enfin... De toute façon, dès que j'aurai commencé à travailler, je me sentirai mieux. Parle-moi donc de ce Charles Davis.

— Eh bien... tout d'abord, il va probablement convoquer les experts en psychiatrie pour vérifier si je ne suis pas devenu fou...

Remarquant que ses plaisanteries ne réussissaient pas à la dérider, il poursuivit plus sérieusement.

— Lorsque Karistan a engagé Halston pour créer une nouvelle gamme de moquette, Charles n'a pas décoléré pendant près de quinze jours. Il était persuadé qu'ils avaient perdu la tête et jurait ses grands dieux qu'aucun projet de distribution ne compenserait les dépenses engagées. Il était terrifié à l'idée qu'ils aient ainsi occasionné un précédent dangereux et que nombre d'entreprises courraient à leur perte.

— Ah bon ? Et ses craintes étaient-elles justifiées ? s'enquit-elle, sincèrement intéressée.

Il ne répondit pas tout de suite, occupé à déboîter pour doubler un gros camion qui, depuis près de dix minutes, les obligeait à respirer les gaz d'échappement noirs et nauséabonds.

— Pas vraiment, répondit-il enfin. D'autres sociétés ont essayé de mettre cette idée en application, dont nous, d'ailleurs... Je crois que seule King's Ransom a perdu une somme importante, mais en tout état de cause, cette compagnie est réputée pour sa mauvaise gestion.

Elle réfléchit quelques instants, puis demanda à brûle-pourpoint :

— Pourquoi m'as-tu proposé cet emploi, Ryan ? Tu t'inquiétais pour moi, n'est-ce pas ? Tu voulais m'éloigner de New York pendant un temps...

Ryan éclata de rire.

— Ecoute, Rosemary... Tu représentes énormément pour moi, mais je ne crois tout de même pas que je provoquerais la faillite de ma société par pur caprice...

— Je ne pensais pas non plus que tu irais jusqu'à cette extrémité, mais j'aime autant que tu me le confirmes... Au fait, je voulais te remercier d'avoir pensé à Poussah.

Ce matin en effet, Ryan était arrivé les bras chargés d'un sac de litière et d'une provision de boîtes de pâtée pour chat.

— Mais où as-tu trouvé tout cela à cette heure de la matinée ? ajouta-t-elle.

— La graineterie Nickolson ouvre à six heures trente. Tu sais à la campagne, Rosie, les fermiers se lèvent tôt.

— J'espère que Poussah restera avec moi... lâcha-t-elle, pensive.

— Mais bien sûr ! Je ne pense pas qu'il ait envie de quitter une maison où on lui offre du saumon pour déjeuner !

Ryan Mills était un complexe industriel énorme, comprenant une filature, des bureaux, et de grands hangars à camion. Ryan informa Rosemary, tout en garant sa voiture à sa place réservée, que l'entreprise couvrait à elle seule quatorze hectares.

Durant l'heure qui suivit, Rosemary fut entraînée dans un bourdonnement d'activités et un véritable kaléidoscope de couleurs tandis qu'elle se promenait dans cette usine à la technicité résolument moderne.

Ryan insista pour tout lui faire visiter lui-même et, en l'espace de ces soixante minutes, il apparut à Rosemary qu'il était à la fois un employeur compréhensif, un homme d'affaires à la tête solidement plantée sur les épaules, voire un excellent mécanicien.

Ils terminaient leur visite et venaient à peine de pénétrer dans la filature lorsqu'un chapelet de jurons prononcés avec un fort accent écossais les accueillit.

— C'est MacDonald, le directeur de l'usine, expliqua Ryan en riant. Hé, Mac ! Que se passe-t-il ?

Ryan avait dû élever la voix pour couvrir le bruit qui régnait dans l'usine. Un visage couvert de graisse apparut soudain de derrière une énorme machine.

— Oh, Ryan ! Peux-tu me donner un coup de main ?

Le visage redisparut aussitôt. Sans hésitation, Ryan se débarrassa de sa veste et la tendit à Rosemary. Il retroussa rapidement les manches de sa chemise, les roulant jusqu'aux coudes.

— Attends-moi une minute, Rosie... lança-t-il avant de rejoindre l'homme.

Tandis qu'elle patientait, Rosemary regarda le spectacle étrange qui l'entourait. Quelques pièces de machinerie étaient si hautes qu'il semblait presque nécessaire d'utiliser une échelle pour en atteindre le sommet. Des mètres carrés de moquettes à différents stades de fabrication s'étalaient devant elle, agrémentant cet univers d'acier de taches de couleurs lumineuses.

Ses oreilles commençaient à bourdonner lorsque Ryan revint près d'elle, souriant comme un petit garçon. Une tache de cambouis barrait sa joue. D'un hochement de tête, il l'invita à le suivre tout en enfilant sa veste.

Le silence qui régnait dans le hall semblait presque

assourdissant comparé au vacarme qu'ils venaient de quitter.

— Attends, lui dit-elle en posant la main sur son bras.

Elle prit le mouchoir qui dépassait de la poche de sa veste et lui essuya la joue.

— As-tu réussi à réparer ta machine ?

— Mac s'en sortait très bien tout seul, répondit-il avec modestie. Il voulait juste me donner l'impression qu'il avait besoin de moi. Viens, l'atelier de dessin est par ici... Mais d'abord, je veux te montrer mon bureau.

Le bureau de Ryan était situé dans un angle du bâtiment, et bénéficiait ainsi d'une grande luminosité grâce aux deux larges fenêtres qui s'ouvraient sur les collines avoisinantes. La pièce était spacieuse et décorée simplement, visiblement conçue pour travailler et non pour impressionner les éventuels visiteurs.

A peine avait-elle pénétré dans le « domaine » de Ryan, qu'elle sentit ses bras l'enlacer.

— Je te veux à moi seul pendant une minute avant de te montrer ton atelier, murmura-t-il en enfouissant son visage dans ses cheveux.

Rosemary s'abandonna contre lui tandis qu'il resserrait son étreinte.

— Je me demande comment je vais pouvoir patienter jusqu'à ce soir, en te sachant si proche... chuchota-t-il.

— Ryan, tu avais promis... s'apprêta-t-elle à protester.

— Nous avons tous deux besoin de temps, je sais. Mais enfin, Rosie, je suis resté éveillé la moitié de la nuit à m'imaginer en train de te faire l'amour.

Elle noua tendrement ses doigts derrière sa nuque.

— Moi aussi, avoua-t-elle doucement.

Le visage de Ryan se pencha vers le sien, et elle ferma les yeux lorsque leurs lèvres s'unirent.

Une exclamation de surprise les fit brusquement sur-
sauter.

— Oh ! Excusez-moi, balbutia une voix de femme
embarrassée. Je ne savais pas que vous étiez arrivé,
Ryan. Jackie m'avait annoncé que...

— Ce n'est pas grave, Carole. Entrez.

Calmement, il s'écarta de Rosemary. Carole se recom-
posa rapidement une attitude, en dépit de son trouble
manifeste. Elle serrait contre sa poitrine des dossiers
qu'elle était venue apporter.

Rosemary s'interogea quant aux motifs de son désarroi. Etait-ce le simple fait d'avoir trouvé quelqu'un dans
le bureau qu'elle pensait vide ? Ou était-ce plutôt
l'étreinte passionnée dont elle avait été le témoin qui
l'avait choquée à ce point ?

Carole ne lui laissa pas le loisir de réfléchir davantage.

— Comment allez-vous, Miss Addison ? demanda-
t-elle en souriant.

— Très bien, je vous remercie, murmura Rosemary
en étudiant la silhouette mince de la jeune femme.

Carole portait un tailleur classique jaune pâle qui ne
laissait pourtant rien ignorer de ses courbes féminines, et
mettait même agréablement en valeur son teint radieux.

Que représentait Carole pour Ryan ? ne put-elle s'empêcher de songer encore. Mon Dieu, et s'il...

— Ces dossiers sont pour moi ? s'enquit Ryan, interrompant le cours de ses réflexions. Laissez-le sur mon
bureau, Carole, je les parcourrai tout à l'heure.

D'une légère pression de la main sur le dos de Rosemary, il la poussa sans plus tarder vers la porte.

Il la présenta à sa secrétaire, mais l'entraîna si rapidement qu'elle n'eut que le temps d'apercevoir le regard
désapprobateur que la femme aux cheveux gris lui
adressa à la dérobée.

— Ryan ! Le courrier... s'exclama Jackie avec impatience.

— Je reviens dans un instant, Jackie, lui lança-t-il pardessus son épaule en disparaissant. Elle est un peu acariâtre parfois, murmura-t-il à l'intention de Rosemary une fois dans le couloir, mais je ne sais pas ce que je deviendrais sans elle...

— Carole me paraît bien jeune pour assumer un poste aussi important, remarqua Rosemary, espérant en apprendre plus sur cette ravissante directrice des ventes...

— Crois-tu ? Elle a pourtant vingt-sept ans...

— Vraiment ? Elle m'a semblé beaucoup plus jeune.

— C'est vrai...

Rosemary ne put déterminer si le ton qu'il employait était volontairement ou sincèrement désinvolte.

Sortant d'un bureau, un homme, presque aussi grand que Ryan et tout aussi distingué, vint à leur rencontre en souriant.

— Miss Addison, je présume ?... demanda-t-il en tendant la main.

— Rosie, intervint Ryan, je te présente Paxton Norwood, notre vice-président. C'est non seulement un excellent collaborateur, mais un de mes amis les plus chers.

— Je suis ravie de faire votre connaissance, monsieur Norwood, dit Rosemary en lui serrant la main.

— Pas de « monsieur Norwood » entre nous, je vous en prie. Appelez-moi Paxton.

— Et moi, je suis Rosemary.

Paxton se tourna alors vers Ryan.

— Seras-tu bientôt disponible ? J'ai l'impression que nous avons des ennuis en perspective...

Ryan fronça les sourcils, soudain inquiet.

— A Birmingham ?

— Exactement.

— Je serai à ton bureau dans cinq minutes, juste le temps d'emmener Rosemary à l'atelier.

Rosemary eut du mal à suivre les grandes enjambées nerveuses de Ryan tandis qu'il la conduisait vers ses nouveaux bureaux.

Après l'avoir présentée à Charles Davis, Ryan la prit gentiment par les épaules.

— Je suis désolé, Rosie, il faut que je te laisse. Je voulais rester mais...

— Ne t'inquiète pas pour moi, Ryan, le rassura-t-elle. Je suis certaine que tout se passera bien.

— J'essayerai de te retrouver pour déjeuner, promit-il en s'éloignant rapidement.

Charles observa Rosemary quelques instants en silence, puis se décida enfin à la présenter aux autres personnes travaillant également dans l'atelier spacieux et brillamment éclairé. Les trois femmes et l'homme relevèrent le nez de leurs dessins et l'accueillirent avec une curiosité et une suspicion non dissimulées, avant de se replonger dans leur tâche.

Au cours de cette matinée, Rosemary eut l'occasion de découvrir que le portrait de Charles Davis que lui avait brossé Ryan n'était pas erroné. Elle ne se souvenait pas avoir jamais rencontré d'homme à l'expression aussi triste et rébarbative, qui ne s'exprimait que d'un ton cinglant et sans appel, lorsque toutefois, il consentait à donner son avis. Elle devait pourtant reconnaître qu'il connaissait parfaitement son métier et que, apparemment, il l'avait d'emblée honorée de sa confiance, ce qui la flatta secrètement.

— Rosemary, lui demanda-t-il alors que midi approchait, nous avons l'habitude de déjeuner dans un petit restaurant. Voulez-vous vous joindre à nous ?

Cette invitation n'était pas des plus chaleureuses, mais c'était sans conteste la phrase la plus longue qu'elle l'ait entendu prononcer depuis le matin.

— C'est très gentil à vous, Charles, mais je dois attendre Ryan.

Sans plus de commentaire, Charles s'inclina légèrement et l'abandonna de nouveau à son travail.

Elle attrapa ses crayons et, une palette des échantillons de moquette à la main, commença à dessiner avec attention sur la feuille étalée devant elle. L'atelier était presque désert et, hormis quelques sonneries de téléphone lointaines et les conversations étouffées des employés sortant pour déjeuner, un calme inhabituel régnait dans le bâtiment.

Soudain consciente d'une présence derrière elle, elle pivota sur son tabouret pour découvrir Ryan appuyé nonchalamment contre le chambranle de la porte.

— Ryan ! Depuis combien de temps es-tu là ?

— Depuis quelques minutes, répondit-il en se redressant. As-tu faim ?

— Un peu, oui...

— Veux-tu que j'aille chercher des sandwiches à la cafétéria ? Je ne peux malheureusement pas quitter l'usine, j'attends un appel.

— As-tu des ennuis ?

Il arpenta nerveusement la pièce, ramassant distraitement quelques papiers sur les bureaux.

— Oui, soupira-t-il en se massant la nuque. Je vais probablement devoir me rendre en Angleterre demain ou après-demain. Une grève menace d'éclater dans une de nos usines.

— Ah... C'était donc cela, Birmingham ?

— Oui, confirma-t-il avec un sourire.

Il s'assit en face d'elle et se pencha pour jouer avec une mèche de ses cheveux.

— Au fait, as-tu déjà joué avec nos ordinateurs ?

— Tu plaisantes ! s'esclaffa-t-elle. Je viens à peine d'arriver...

— Viens voir, l'invita-t-il en l'entraînant vers un écran dont il tourna le bouton.

Il saisit un crayon optique dont il effleura l'écran de la pointe. Un point rouge s'y inscrivit aussitôt. Rosemary s'amusa de constater l'expression ravie de Ryan. Il ressemblait à un petit garçon à qui on vient d'offrir son premier train électrique...

— Regarde... dit-il en écrivant « Rosie » sur l'écran.

Il dessina ensuite une fleur qu'il colora en actionnant plusieurs boutons de la console.

— Ryan ! C'est fantastique. Je savais qu'on utilisait des ordinateurs dans d'autres domaines de création, mais j'ignorais qu'on puisse s'en servir pour la moquette...

— Attends, tu n'as encore rien vu...

Après un ronronnement, l'appareil éjecta une petite fiche de plastique blanc.

— C'est une plaquette de création, expliqua-t-il. Il suffit maintenant de l'emporter à l'usine, de la glisser dans la bonne machine, et on obtient une moquette avec ce motif et ces couleurs. Mais nous employons rarement ce procédé. Sauf pour des commandes spéciales.

Il reposa la petite plaquette et lui prit la main.

— J'ai vraiment l'estomac dans les talons... Allez, viens, je t'invite. Préfères-tu les spaghettis bolognaise ou un hamburger ?

— Mais ton coup de téléphone ?...

— Les mauvaises nouvelles peuvent attendre une heure de plus...

En dépit du ton enjoué qu'il essayait de simuler, Rosemary ne fut pas dupe de l'inquiétude qu'il essayait de lui cacher.

— Un hamburger au beurre de cacahuète ? plaisanta-t-elle faiblement.

Ryan eut un petit sourire triste en l'attirant contre lui.

— Si seulement je pouvais t'emmener en Angleterre avec moi... murmura-t-il.

— Combien de temps y resteras-tu ?

— Au moins deux semaines...

Elle se refusa à laisser paraître sa déception. Ryan avait suffisamment de problèmes sans qu'elle l'ennuyât davantage. S'abandonnant contre lui, elle laissa son corps lui exprimer ce qu'elle ne pouvait reconnaître de vive voix.

— Je serai là, Ryan... chuchota-t-elle. Je serai là à ton retour.

Elle avait prononcé ces mots comme une promesse, comme un vœu qui la surprit elle-même par son intensité.

— Tu choisis bien ton moment pour me dire cela ! maugréa-t-il en l'étreignant plus étroitement contre lui. Oh, Rosie... Sais-tu au moins combien je te désire ?

Ryan avait soudain l'impression que ses pieds ne touchaient plus terre. Rosemary était si douce, si chaude dans ses bras. Aucune femme ne l'avait ému à ce point, pas même au temps de son adolescence, lorsqu'il s'était éveillé à l'amour. Au prix d'un énorme effort, il parvint néanmoins à retrouver un semblant de calme.

— Finalement, je vais aller nous chercher des sandwiches, déclara-t-il en l'installant de nouveau sur son tabouret. C'est plus raisonnable...

— Je ne m'étais pas rendu compte à quel point j'avais faim ! proclama-t-elle en mordant de bon cœur dans les moelleuses tranches de pain de mie.

Ryan décapsula une bouteille de coca-cola qu'il but à même le goulot avant de la lui offrir.

Il attendit patiemment qu'elle ait terminé ce festin improvisé avant d'annoncer :

— J'ai une surprise pour toi...

— Une surprise ?

Il hocha la tête en souriant, visiblement heureux.

— Et d'ailleurs, j'ai l'impression qu'elle est en route... ajouta-t-il en se tournant vers la porte.

Rosemary pivota à son tour pour voir la stature imposante de l'Ecossais qu'elle avait aperçu le matin. Ryan se leva aussitôt pour aller à sa rencontre.

— Voilà, Ryan... dit MacDonald en lui tendant un petit morceau de moquette roulé. Ce n'est pas trop mal pour un amateur...

— Merci, Mac.

MacDonald effleura sa casquette d'un doigt.

— Miss Addison... chuchota-t-il poliment avant de s'éclipser.

Ryan saisit un bord du rouleau de la moquette et le laissa se dérouler lentement.

— Cela te plaît-il ? s'enquit-il en surveillant sa réaction.

Un sourire illumina le visage de Rosemary. Elle glissa à bas du tabouret et s'agenouilla sur le sol. De la main, elle caressa l'épaisse laine rose et, du bout du doigt, retraça son nom ainsi que la fleur que Ryan avait dessinés sur l'écran de l'ordinateur.

— C'est superbe, Ryan ! s'exclama-t-elle sincèrement. Je n'arrive pas à le croire...

Ryan ne put s'empêcher d'arborer une expression de triomphe et de fierté.

— Je t'avais expliqué, pourtant.

Impulsivement, Rosemary se releva et se jeta à son cou.

— Bien sûr, mais la démonstration est beaucoup plus efficace.

— Je suis prêt à t'offrir une autre sorte de démonstration, ma chérie... murmura-t-il.

— Oh oui ?... Et peut-on savoir ce que tu as en tête,
exactement ?

A cet instant, un râclement de gorge impromptu les fit
brusquement se retourner. Charles se tenait sur le seuil
de la pièce.

— C'est une démonstration un peu onéreuse, Ryan,
déclara-t-il d'un ton chargé de reproche.

Ryan le regarda fixement, le bras toujours passé sur les
épaules de Rosemary.

— C'est *mon* argent, Charles, répondit-il calmement,
sans pour autant chercher à dissimuler la vague menace
de son avertissement.

CHAPITRE SEPT

— Cette robe te plaît-elle vraiment ? demanda Carole en pirouettant devant le miroir.

La soie bleu pervenche virevoltait autour de ses longues jambes telle une fleur épanouie.

— Oh oui ! lui répondit Rosemary avec enthousiasme. Cette couleur te va à ravir.

— Ne penses-tu pas qu'elle est un peu trop élégante pour un simple dîner au Barbecue Heaven de Sanderson, un samedi soir ?

Les deux femmes éclatèrent d'un rire joyeux sous l'œil un peu agacé de la vendeuse.

Rosemary était enchantée de son après-midi. Désirant se familiariser avec ses connaissances toutes récentes de la conduite, elle avait décidé, en accord avec Carole, d'aller jusqu'à Atlanta et elles profitèrent de l'occasion pour faire quelques courses.

De toute évidence, Ryan, avant son départ, avait demandé à ses amis de prendre soin de Rosemary afin de lui éviter une solitude trop pesante.

Carole avait accepté de lui donner des leçons de conduite pernant ainsi le relais de Ryan qui, elle devait bien l'admettre, ne manifestait pas une patience à toute épreuve.

D'emblée, Rosemary s'était sentie en confiance avec Carole, appréciant le calme et la précision de ses explications. Les résultats avaient été si encourageants que la semaine suivante, son « professeur » l'avait jugée prête pour affronter l'examen.

La partie écrite ne lui avait posé aucun problème. Mais, redoutant l'épreuve pratique, elle s'était installée dans la voiture, les mains crispées au volant. Le jeune examinateur, conscient de sa nervosité, avait réussi à la détendre en plaisantant et lui avait accordé le permis avec toutes ses félicitations.

Ce fut au cours de ces journées que Carole et Rosemary étaient devenues amies.

— Ne t'inquiète pas, Carole, lui dit Rosemary, les occasions pour porter une si jolie robe ne manqueront pas. Elle est vraiment faite pour toi et il serait dommage que tu n'en profites pas.

— C'est vrai, admit-elle heureuse. De plus, je pourrai toujours la mettre à Noël. Tu sais que, chaque année, Ryan organise pour tout le personnel de la société une grande soirée au Ritz Carlton.

Le sourire s'effaça soudainement du visage de Rosemary. Elle se dirigea alors vers un étalage de foulards de soie pour dissimuler la tristesse qui l'envahissait.

« A Noël, songea-t-elle, je serai rentrée à New York depuis longtemps. » Elle éprouvait une peine réelle à l'idée de quitter cette région, ses nouveaux amis et... Ryan.

Elle jeta un coup d'œil à sa montre et interpella Carole.

— N'oublie pas que nous avons rendez-vous avec Jackie dans une demi-heure au restaurant. Et j'ai une faim de loup ! Pas toi ?...

Carole ne répondit pas tout de suite. Elle se dirigea, un peu à contrecœur, vers les cabines d'essayage.

— Oui, tu as raison, lui lança-t-elle par-dessus son épaule, je me dépêche de me changer.

Rosemary regretta de devoir interrompre les achats enthousiastes de sa jeune amie.

— Tu sais, Carole, nous avons encore un peu de temps. Le restaurant n'est pas très loin. Y a-t-il une autre robe qui te plairait ?

— En réalité, s'esclaffa Carole, j'aimerais acheter tout ce qui est dans cette boutique mais j'ai bien peur, malheureusement, que mon compte en banque ne soit pas assez conséquent !

Elle se tourna alors vers la vendeuse.

— Je me suis décidée pour cette robe. Pouvez-vous me l'empaqueter, s'il vous plaît ?

— Mais certainement, madame, lui répondit-elle un peu raide.

Carole disparut dans la cabine en lançant un regard amusé à Rosemary.

La nature exacte des relations de Carole et Ryan était encore un mystère pour Rosemary bien qu'elle ne crût pas ou ne voulût pas croire qu'il puisse exister entre eux une liaison romantique.

Par contre, Jackie, sa fidèle secrétaire, vouait à Ryan une véritable adoration. Elle l'admirait sincèrement. La froide réserve dont elle avait fait preuve à l'égard de Rosemary lors de leurs premières rencontres s'était peu à peu effacée, et leurs rapports étaient maintenant très détendus.

Chaque fois que Ryan téléphonait d'Angleterre, Jackie ne manquait pas de prévenir Rosemary, n'hésitant pas à se déplacer pour lui transmettre la communication.

Mais depuis trois jours, Ryan n'appelait plus. Jackie avait tenté de la rassurer.

— Il doit être débordé de travail, enchaînant réunion sur réunion et, de plus, le décalage horaire n'arrange rien. Et puis il devait rendre visite à sa sœur pour voir son neveu.

Beth avait effectivement mis au monde un petit garçon le lendemain de l'arrivée de Ryan en Angleterre.

Elle voulait bien admettre qu'il avait de bonnes raisons. Mais pourquoi ne l'appelait-il pas le soir, chez elle ? Même en pleine nuit, elle aurait été heureuse d'entendre sa voix.

Carole la rejoignit bien vite, interrompant le cours de ses pensées. Elle paya, s'empara du paquet et, prenant Rosemary par le bras, l'entraîna vers la parfumerie de l'autre côté de la rue.

Quand elles arrivèrent au restaurant, Jackie les attendait patiemment, installée à une table de la terrasse en lisant le journal local. Elle ne put s'empêcher de rire en les voyant chargées de tant de paquets.

— Mais comment avez-vous fait pour dévaliser toutes les boutiques d'Atlanta en si peu de temps ? plaisanta-t-elle.

— Carole est la seule responsable ! s'écria Rosemary. Moi, je n'ai fait que l'accompagner.

— Pas du tout ! protesta Carole en riant. J'ai toujours eu un mal fou pour choisir ma garde-robe. J'ai donc profité de tes précieux conseils et je t'accuse de m'avoir poussée au crime !

Elle tira une chaise pour y déposer sacs et paquets de toutes dimensions.

— Vous verrez la semaine prochaine, poursuivit Carole, à l'adresse de Jackie, vous serez étonnée de l'élégance de mes tenues. Rosemary est vraiment très douée pour découvrir, du premier coup d'œil, la robe ou le tailleur dont vous rêviez depuis des années.

Les deux femmes s'esclaffèrent joyeusement.

— Vous riez maintenant, mais attendez que Ryan...

Carole s'interrompit net en rougissant violemment et lança un regard d'excuse en direction de Rosemary. Jackie semblait également très mal à l'aise.

Le serveur arriva à point pour les tirer de cet embarras. Il leur distribua les menus et elles portèrent leur choix sur des salades composées.

Le repas, quoique agréable, eut un arrière-goût amer pour Rosemary qui ne pouvait s'empêcher de songer que Carole, belle et dynamique, était la femme idéale pour Ryan.

Rosemary était juchée devant sa table à dessin sur un haut tabouret, balançant ses longues jambes fuselées au rythme lancinant des ronronnements du ventilateur. Le crayon semblait voler sur la feuille de papier, dessinant les arabesques d'un motif harmonieux.

Il était près de sept heures et la plupart des employés de la société avaient déjà regagné leur domicile.

Elle aimait travailler dans le calme de ces bureaux déserts. Elle percevait de temps en temps le bruit d'une porte qui claquait, des pas qui s'éloignaient. Elle était toute seule dans le service « dessin ».

Ryan était parti depuis plus de dix jours et son absence commençait à lui peser. Un horrible sentiment d'abandon la tenaillait malgré les attentions prévenantes dont elle était l'objet. Jamais elle n'avait déjeuné seule et il était fréquent qu'au cours de la journée on lui offrît une tasse de café.

Elle n'avait vraiment pas à se plaindre, les conditions dans lesquelles elle travaillait étaient très agréables.

Et puis elle avait noué des liens d'amitié avec Carole, qui lui avait consacré beaucoup de temps pour ses leçons de conduite, ainsi qu'avec les Norwood. Paxton l'avait

invitée à dîner et elle se souvint de cette soirée avec
plaisir, appréciant la compagnie de sa femme June et de
leurs quatre enfants.

— Rosemary ?

Elle sursauta vivement et se retourna.

Paxton était sur le pas de la porte et lui adressa un petit
sourire d'excuse.

— J'avais peur que vous ne soyez déjà partie. Je viens
de recevoir un télex de Londres. Ryan arrive ce soir à dix
heures mais je ne vais pas pouvoir me libérer. Vous
serait-il possible d'aller le chercher à l'aéroport ?

Son cœur fit un bond dans sa poitrine mais elle n'en
laissa rien paraître.

— Bien sûr, répondit-elle très naturellement. Mais je
n'attendais pas son retour avant deux jours.

— Effectivement, mais je crois qu'il s'est arrangé pour
écourter son séjour. C'est très gentil à vous d'aller à
l'aéroport, je vous remercie. Bonsoir Rosemary, à
demain.

— Bonsoir ! lui lança-t-elle, heureuse de cette nouvelle.

Sans plus attendre, elle posa ses crayons, sauta de son
tabouret, attrapa son sac et sa veste et sortit précipitam-
ment du bureau. D'ici dix heures, elle avait largement le
temps de rentrer chez elle et de se préparer pour accueillir Ryan.

Elle s'installa au volant de son cabriolet rouge et parcourut les quelques kilomètres qui la séparaient de sa
maison, le cœur léger.

Elle avait toujours beaucoup de plaisir à regagner cette
demeure paisible et l'isolement ne l'effrayait plus maintenant.

A peine avait-elle ouvert la porte que Poussah se précipita dans ses jambes, miaulant et ronronnant de contentement.

— Oui, je sais que tu as faim, lui dit-elle en se dirigeant vers la cuisine.

Elle lui prépara une assiette de viande et l'abandonna à son repas.

Le jet d'eau tiède de la douche l'aida à se détendre pleinement. La mousse légère et parfumée glissait sur sa peau satinée et elle se surprit à imaginer que ces mains qui couraient, légères sur son corps, pouvaient être celles de Ryan.

Serait-il content de la voir à l'aéroport ? Après tout, il ne l'avait pas prévenue directement de son retour et Paxton s'était peut-être un peu trop avancé en l'envoyant à sa place.

Chassant bien vite cette idée, elle préféra ne pas présager de leurs retrouvailles.

Elle choisit dans sa garde-robe un pantalon de velours rouge et un léger chemisier de soie blanc.

Elle brossa soigneusement sa longue chevelure soyeuse, maquilla légèrement ses yeux et termina par une touche de parfum.

L'image que lui renvoya le miroir de la salle de bains amena un sourire à ses lèvres.

Il lui restait encore une heure à patienter et elle la passa à lire un magazine, installée au salon, Poussah blotti sur ses genoux.

Les aiguilles de la pendule semblaient prendre un malin plaisir à redoubler de lenteur...

Rosemary arriva en avance à l'aéroport. Elle sortit de sa voiture et fit quelques pas dans la campagne. L'air était doux et la brise qui soufflait lui apportait toutes les senteurs de cette nuit d'été. Le calme et la sérénité de cet instant lui permirent d'apaiser la nervosité de l'attente.

Un ronronnement sourd brisa tout à coup le silence

environnant. Elle leva la tête et discerna le petit point
lumineux de l'avion qui grossissait en s'approchant.

Elle le regarda atterrir puis se dirigea, émue, vers le
bord de la piste.

Ryan avait dénoué sa chemise et détacha le premier
bouton de sa chemise. Il portait négligemment sa veste
sur l'épaule, sa valise à la main.

Elle l'entendit saluer amicalement le pilote et son rire
fut doux à ses oreilles.

Elle hésitait à s'avancer vers lui, craignant de ne pas
lire sur son visage l'expression de joie qu'elle attendait.

Mais Ryan l'avait vue et il se dirigea vers elle, un
sourire radieux aux lèvres.

— Je suis heureux que tu sois là, lui lança-t-il joyeux.

— Paxton n'était pas disponible ce soir, répondit-elle
vivement pour justifier sa présence, il m'a demandé de
venir à sa place.

Ils parlaient tranquillement, s'efforçant chacun de
refréner la folle envie qu'ils avaient de s'étreindre.

— Je lui avais spécifié dans mon télex que je souhaitais
être accueilli par toi, lui précisa-t-il.

— Vraiment ? Eh bien il ne m'en a pas parlé.

La nuit était dense mais la clarté argentée de la lune
permettait à Rosemary de distinguer les traits du visage
de Ryan. Ses yeux brillaient d'une lueur de plaisir.

— Oh, Ryan, tu m'as tellement manqué ! lui avoua-
t-elle dans un souffle.

Elle se rapprocha timidement de lui et se sentit soudain
happée entre ses bras.

Ils s'étreignirent avec force un long moment, s'enivrant du parfum de l'autre, de la chaleur retrouvée.

— Rosie ! Rosie ! murmura-t-il, le visage enfoui dans
sa chevelure de soie.

Il la souleva de terre et tourbillonna sur place en riant
aux éclats.

— Je suis si heureux !

Puis il la reposa doucement et, éloignant son visage du sien, la regarda intensément, scrutant ses grands yeux émeraude.

Puis, avec une lenteur calculée, il se pencha vers elle et s'empara délicatement de ses lèvres offertes. Ce fut un baiser tendre, doux et passionné.

Elle sentit une onde de désir la parcourir, accélérant les battements de son cœur. Les jambes tremblantes et la respiration oppressée, elle enroula les bras autour de son cou et posa la tête au creux de son épaule.

— Rosie, souffla-t-il à son oreille, rentrons à la maison.

Elle fut émue par ses paroles. « A la maison », avait-il dit. Ces trois petits mots signifiaient tellement pour elle. Ils faisaient écho à la décision qui avait mûri en elle pendant son absence.

— Oui, acquiesça-t-elle simplement.

Il accueillit sa réponse avec soulagement, réalisant tout à coup qu'il avait craint un instant son refus.

Main dans la main, ils se dirigèrent vers le petit cabriolet rouge stationné sur le parking de l'aéroport.

— C'est toi qui conduis, lui dit-elle en lui tendant les clés.

— Il n'en est pas question ! répondit-il. Je suis trop fatigué.

Elle hésita un instant, si troublée qu'elle avait peur de ne pouvoir tenir le volant.

— Es-tu bien sûr de ne pas le regretter ? insista-t-elle.

— Rosie, si l'Etat de Géorgie t'a accordé ton permis, c'est parce que tu es capable de conduire. Je ne me fais donc aucun souci. Allons-y.

Il ouvrit la portière passager, jeta sur la banquette arrière sa veste et sa valise, s'installa sur son siège et attacha sa ceinture de sécurité.

Rosemary dut se résoudre, malgré elle, à prendre place au volant.

— Je te préviens, Ryan, lui dit-elle un peu tendue, je ne supporterai pas une seule remarque quant à ma conduite.

— Je n'y aurais même pas pensé, la rassura-t-il, amusé.

Il s'appuya contre le dossier de son siège, étendit ses jambes et ferma les yeux.

— Cela vaut mieux pour toi.

Il émit un petit rire mais ne répondit rien.

Elle alluma le contact et démarra la voiture en douceur.

Elle avait le pressentiment que leur relation, ce soir, allait franchir un pas décisif et elle se sentait nerveuse.

Le trajet ne fut pas très long mais Rosemary se concentra sur sa conduite, attentive à ne commettre aucune erreur. Ses mains étaient crispées sur le volant et elle ne quitta pas une seule seconde la route des yeux.

Arrivée devant chez Ryan, elle coupa le moteur et se tourna vers lui.

Il s'était endormi, la tête appuyée contre la vitre. Elle resta quelques instants à le contempler.

La clarté de la lune donnait à ses cheveux des reflets argentés et un jeu d'ombres et de lumière se dessinait sur son siège.

Elle défit tout doucement sa ceinture de sécurité et passa une main légère sur son front.

— Ryan ? murmura-t-elle.

— Mmmm...

Il recala sa tête contre le dossier mais garda les yeux fermés.

— Ryan, insista-t-elle, nous sommes arrivés.

Il souleva lentement les paupières et sourit en la voyant si proche de lui.

— Rosie, commença-t-il en lui prenant la main, je te désire comme jamais de ma vie je n'ai désiré une femme.

— Moi aussi, je te désire, déclara-t-elle en plongeant son regard dans le sien.

Il se redressa alors sur son siège, une expression de joie intense au fond des yeux.

— Mais alors, que faisons-nous dans cette voiture ? s'exclama-t-il.

— Tu t'étais endormi, Ryan, et je me demande même si je ne devrais pas te...

— Non, la coupa-t-il, il n'est pas question que tu me quittes ce soir.

Il ouvrit sa portière vivement, attrapa sa veste et sa valise et contourna la voiture pour tendre la main à Rosemary.

Elle le rejoignit et ils s'enlacèrent un instant, goûtant la fraîcheur de cette nuit étoilée, appréciant le calme paisible de la campagne géorgienne.

— Quel bonheur de se retrouver chez soi, murmura-t-il en soupirant.

Elle passa un bras autour de sa taille et ils remontèrent l'allée de graviers jusqu'à la maison.

— Comment s'est déroulé ton séjour ? lui demanda-t-elle.

Tout à coup, elle fut frappée par la platitude de sa question. Pour qui se prenait-elle ? Elle se faisait l'effet d'une bonne petite épouse interrogeant son mari rentrant d'un voyage d'affaires. Etait-ce ce qu'elle attendait de leur relation ? Non, c'était stupide, elle espérait beaucoup plus, beaucoup mieux.

De plus, elle n'avait pas l'intention de finir ses jours dans un si petit village. Elle avait besoin de la vie citadine, de sa richesse, de sa diversité.

Arrivé devant la porte, Ryan marqua un temps d'arrêt et chercha le regard de Rosemary.

Elle baissa la tête, rougissant légèrement.

— Je suis désolée, s'excusa-t-elle, je ne voulais pas être indiscrète. Tes affaires ne me regardent pas.

— Pas du tout, protesta-t-il.

Pendant un bref instant, il avait, lui aussi, été choqué par la banalité de cette situation.

— Je suis seulement fatigué, poursuivit-il.

Depuis quatre ans qu'ils étaient devenus de simples amis, il s'était efforcé de ne ressentir envers Rosemary aucune attirance physique mais pendant toute la durée de son voyage, il n'avait pas cessé, une seule minute, de penser à elle, à l'odeur de sa peau, au goût de ses lèvres.

Il avait dû fournir des efforts inconsidérés pour se concentrer sur son travail.

Il ouvrit la porte de la maison et s'effaça pour la laisser entrer.

Tout en la suivant, il admira les formes arrondies de sa silhouette harmonieuse. Il la désirait avec une force insoupçonnée mais songea qu'il serait fou de tomber à nouveau amoureux d'elle. Il la savait vulnérable et disponible, ici, dans cette campagne qui ne lui correspondait pas, mais elle retrouverait vite son indépendance au contact de la vie citadine. Jamais elle n'accepterait de s'installer définitivement dans une petite ville.

Il laissa vagabonder son imagination : Rosemary en robe de mariée, une alliance d'or brillant à son doigt, Rosemary portant un enfant dans ses bras...

— Je vais prendre une douche, lui annonça-t-il en accrochant sa veste dans l'entrée.

— C'est une excellente idée, répliqua-t-elle.

Il la regarda, attendrie. Elle était vraiment adorable. Une vague d'affection l'envahit.

— Accompagne-moi à l'étage, Rosie.

Rosemary osa à peine le regarder de peur de trahir l'émoi qui la submergeait.

Il entra dans sa chambre, déposa sa valise et se retourna vers Rosemary qui, sur le seuil, hésitait à entrer. Il étendit sa main et l'attira doucement dans ses bras.

— Comment te sens-tu ? lui murmura-t-il gentiment.

Il enfouit son visage dans ses cheveux et resta silencieux, le cœur battant.

Elle perçut tout à coup un sanglot étouffé. Que se passait-il ? Une évidence lui traversa l'esprit. Bien sûr, elle s'était certainement trompée depuis le début. Il ne la désirait plus mais n'osait le lui avouer. Sinon, comment interpréter cette réticence soudaine qu'il avait à la caresser, à l'embrasser ? Des larmes perlèrent à ses paupières et elle ferma les yeux pour les retenir. Elle était profondément blessée d'être ainsi rejetée et réalisa alors combien elle aimait Ryan. Jamais elle n'avait connu un tel sentiment d'amour.

Mais elle ne devait rien lui reprocher. L'amour qu'elle lui portait lui donnerait la force de lui pardonner. Il lui fallait dénouer cette situation embarrassante dignement, en évitant toute mièvrerie.

Elle voulut se dégager de son étreinte mais Ryan la retint avec force.

— Ryan, laisse-moi partir...

— Non.

— Je t'en prie...

Il s'écarta légèrement et prit entre ses mains si douces le visage de Rosemary.

Elle pouvait lire dans ses yeux toute la douleur et le désir qu'il ressentait. Peut-être ne serait-il jamais capable de l'aimer mais elle constata avec soulagement que son désir était toujours aussi fort. Mais alors, pourquoi cette tristesse ?

— Rosie, mon amour, adorable Rosie...

D'une main tremblante, il caressa la peau veloutée de son visage.

— L'esprit est exigeant, souffla-t-il, mais le corps a ses faiblesses, ses limites...

Elle le regarda, les yeux arrondis par l'étonnement.

— Peux-tu me comprendre ?... lui demanda-t-il, un rire nerveux s'échappant de ses lèvres.

Il l'entraîna jusqu'au lit, s'assit et l'attira sur ses genoux.

— Excuse-moi, Rosie... cette situation est vraiment embarrassante.

— Non, dit-elle en essuyant ses larmes, mais c'est absurde. Nous nous conduisons comme deux étrangers attirés l'un par l'autre sans tenir compte de nos cinq années d'amitié.

Elle s'interrompit un bref instant, hésitant à poursuivre.

— Je veux que tu sois mon amant, finit-elle par articuler, mais je veux aussi te garder comme ami.

Il déposa un tendre baiser à la commissure de ses lèvres.

— Ce soir, accepterais-tu de n'être que mon amie ? lui demanda-t-il.

— Oui, Ryan, rien ne me ferait plus plaisir.

— Oh Rosie, tu es si merveilleuse. Nous.. nous dormirons ensemble, enlacés, tu veux bien ?...

— Bien sûr, répondit-elle sans l'ombre d'une hésitation.

CHAPITRE HUIT

Rosemary fronça les sourcils dans son sommeil et roula sur le côté pour enfouir son visage dans l'oreiller. Pourquoi dormait-elle en pyjama ? Un rire profond et rauque pénétra son esprit embrumé comme un rayon de soleil perçant le brouillard. Elle leva vivement la tête et, ouvrant les yeux, se tourna pour apercevoir, à travers le rideau noir de ses cheveux, le visage réjoui de Ryan.

Il était assis sur une chaise à côté du lit, le dos tourné à la fenêtre. Sa silhouette se découpait sur la pâle lueur de l'aube filtrant à travers le voilage des rideaux. Ses cheveux humides étaient soigneusement coiffés, et seule une serviette de bain ceinte autour de sa taille dissimulait sa nudité aux yeux ensommeillés de Rosemary.

— Tu ressembles à un tigre sur le point de fondre sur sa proie, remarqua-t-elle en laissant retomber sa tête sur l'oreiller.

— Tu ne crois pas si bien dire... murmura-t-il en s'allongeant près d'elle.

Du bout du doigt, il effleura sa joue et écarta une mèche de cheveux de son front.

— Réveille-toi, Rosie, souffla-t-il gentiment.

Mais Rosie gardait les yeux obstinément fermés.

— Rosie...

Elle frissonna, s'efforçant de résister à l'invitation de sa voix.

— Je n'ai pas de brosse à dents, maugréa-t-elle de mauvaise grâce.

— Tu n'as qu'à emprunter la mienne...

— Mmmmh...

— Si tu veux, je crois qu'il y en a une neuve dans la chambre d'ami.

— Je pourrais avoir du café ?

Mais pourquoi cet esprit de contradiction ? se demanda-t-elle, incapable de comprendre elle-même son attitude capricieuse.

Ryan s'écarta d'elle et demeura silencieux pendant une longue minute.

— Est-ce ma punition pour la nuit dernière ? s'enquit-il soudain à brûle-pourpoint.

— Oh non ! s'exclama-t-elle spontanément en roulant sur le dos, rencontrant aussitôt le regard sceptique de Ryan. Ne m'en veux pas, Ryan... Tu n'y es pour rien. C'est simplement que... que j'ai toujours beaucoup de mal à me réveiller et...

Ryan s'approcha d'elle et déposa tendrement un baiser sur ses cheveux.

— Es-tu certaine de ne pas avoir envie de te venger, même un tout petit peu ? la taquina-t-il.

— Non... Enfin, je ne crois pas, ajouta-t-elle en fronçant les sourcils.

Pouvait-elle admettre qu'elle avait éprouvé des difficultés à trouver le sommeil ? Qu'elle était restée longtemps à le regarder à la clarté blafarde de la lune, attendant que sa frustration s'évanouisse peu à peu ? Non, pas ce matin... Elle ne se sentait pas le courage de se confier à lui.

— Si je comprends bien, tu ne me désires que lorsque tu es... « responsable des opérations » ? C'est cela, n'est-ce pas ? demanda-t-il, le visage imperturbable.

— Oh mon Dieu, non... se récria-t-elle, sincèrement éberluée. Je ne me connais sans doute pas très bien, mais j'espère que ce n'est pas le cas.

Ryan se pencha pour l'attirer à lui, confus. Pourquoi avait-il dit une chose aussi stupide ?

— Mais bien sûr que non, Rosie... Cela ne te ressemble pas. Je suppose que j'essaie seulement de chercher une excuse à mon propre malaise.

Malaise... Humiliation serait un mot plus approprié. Quelle honte !... Il ne parvenait pas à croire que la fatigue ait pu l'empêcher de faire l'amour à Rosemary, alors qu'il en rêvait toutes les nuits depuis qu'ils s'étaient retrouvés.

Luttant contre l'impatience qui le poussait soudain à vouloir rattraper le temps perdu, il lui prit la main doucement et l'invita à se lever.

— Viens, nous allons te trouver une brosse à dents.

Se redressant, Rosie se prit malencontreusement les pieds dans l'ourlet de son pyjama.

— Où as-tu trouvé cela ? s'amusa Ryan en l'empêchant de tomber.

— J'ai fouillé dans tes tiroirs... Tu ne m'en veux pas ?

— Pas du tout. Je suis heureux que tu aies trouvé ce que tu voulais... Vraiment, je me suis conduit comme un hôte déplorable. J'ai bien peur d'avoir tout gommé de ma mémoire après mon... mon échec, lâcha-t-il en hésitant.

— Tu étais épuisé... murmura-t-elle d'une voix presque inaudible en frottant son nez contre son menton.

Ce geste anodin lui apparut comme une véritable provocation et il dut fournir un effort incroyable pour ignorer le désir qu'il sentait monter en lui. Il la souleva brusquement dans ses bras, comme par jeu et émit un grognement comique.

Arrivé dans la salle de bains, il la déposa sur ses pieds en riant.

— Dépêche-toi, Rosie. Je vais préparer le café, annonça-t-il avant de refermer la porte.

Il remontait de la cuisine, un plateau à la main, lorsque Rosemary sortit de la salle de bains.

— Mmmmh... Quelle odeur alléchante. Merci, mon chéri.

Ryan demeura interdit quelques instants avant de se décider à entrer dans la chambre. Il ne pouvait détacher ses yeux des lèvres de Rosemary. Son sourire était empreint d'une complicité, d'une intimité qu'il ne lui avait jamais vues.

Elle l'observa, incertaine, n'osant rompre cet instant dont elle comprenait intuitivement la fragilité. Elle avait quitté le pantalon de pyjama trop large, ne conservant que le haut qui lui arrivait à mi-cuisse, des cuisses sur lesquelles le regard de Ryan glissa fugitivement. Ses cheveux retombaient sur ses épaules en vagues douces et brillantes, et ses joues fraîchement lavées resplendissaient de fraîcheur et d'éclat.

Finalement, amusée de constater l'état hypnotique de Ryan, elle se décida à lui prendre le plateau des mains et le déposa sur le sol de la chambre.

— Tu ne te sens pas bien, Ryan ? demanda-t-elle innocemment.

Une innocence que démentait pourtant la lueur de ses yeux. Elle se savait séduisante, et se plaisait à jouer de sa féminité dans cet accoutrement masculin.

Le parfum subtil de la lotion qu'elle avait employée agissait sur Ryan comme le plus efficace des aphrodisiaques. Brusquement, il l'enlaça et, aveuglé par son désir, chercha fébrilement ses lèvres entrouvertes qui l'attendaient. Sa bouche était chaude, au goût de menthe.

Rosemary s'émerveilla de sentir le cœur de Ryan battre à coups précipités contre sa poitrine. Il releva la tête, respirant avec difficulté. Ses yeux semblaient presque voilés, et sa voix avait un accent rauque qui la fit délicieusement frissonner.

— Rosie... Ma belle, ma superbe Rosie...

Fiévreusement, il parcourut des lèvres la peau douce de son cou. Elle gémit sous la caresse sensuelle de sa moustache sur sa gorge, et enfouit les mains dans sa chevelure épaisse. Cambrant les reins, elle lova son corps contre le sien, mais poussa un petit gémissement de protestation en prenant conscience qu'il la repoussait.

Mais il ne s'écarta d'elle que pour faire glisser sur ses épaules la veste de pyjama.

— Doucement, Rosie... Sois patiente. Je ne veux pas te décevoir de nouveau, souffla-t-il.

Il encadra tendrement son visage de ses mains.

— Tu m'as mis en feu, ma chérie... Laisse-moi le temps... Je veux que cette première fois soit parfaite.

— Ryan, je t'en supplie, serre-moi dans tes bras, murmura-t-elle.

Du bout du doigt, il repoussa les cheveux qui retombaient sur son front.

Jamais Rosemary n'avait connu d'émotion aussi intense, et elle savait que Ryan en avait conscience. Elle tremblait de tout son être lorsque Ryan la souleva dans ses bras, et se recroquevilla contre lui comme une petite fille cherchant le réconfort.

— Tu es une adorable contradiction, murmura Ryan en souriant. Tu es aussi changeante que le vent. Un instant séductrice irrésistible, l'autre, biche affolée...

— Et toi, répondit-elle, légèrement irritée. La nuit

dernière, tu as éveillé mes instincts, et ce matin je me demande pourquoi.

Son irritation n'était cependant pas dirigée contre lui mais contre elle-même. Elle ne savait trop que penser de ses propres émotions.

Ryan leva les sourcils, surpris.

— Tu as l'air hésitante, Rosie, mais je ne comprends pas pourquoi. Tu te rendais bien compte que...

— Oui, bien sûr, Ryan. Mais je n'ai pas l'expérience que tu me prêtes, et...

« Je suis amoureuse de toi », avait-elle envie d'ajouter. Mais il accueillerait sans doute très mal une telle confession.

— Je veux tout partager avec toi, Rosie, dit-il doucement.

Elle hocha lentement la tête, et lui offrit ses lèvres pour sceller ce pacte d'amour. Elle accrocha ses bras autour de son cou, comme pour ne pas perdre cet équilibre qu'elle sentait si précaire en ce moment.

Lentement, il la déposa sur le lit et retira la serviette qui lui ceignait la taille.

Ils s'observèrent un instant, soudain intimidés par leur nudité. Brusquement, elle l'attira à lui, répondant passionnément à ses baisers qui couraient le long de son cou, descendaient entre ses seins. Du bout de la langue, il effleura la pointe durcie de ses seins, lui arrachant un gémissement de plaisir.

Des émotions qu'elle n'avait osé imaginer, même dans les chemins hasardeux de ses fantasmes, s'éveillèrent en elle avec une force qui la surprit elle-même. Son visage enfoui dans son cou, elle se prêta à ses caresses brûlantes qui traçaient des sillons incendiaires sur sa peau.

A son tour, elle voulut dispenser ce trop-plein de tendresse qui l'étouffait et chercha à satisfaire, avec une hardiesse empreinte de pudeur, ses désirs les plus secrets qu'il lui révélait par les frémissements incontrôlés de son corps.

— Ryan ! s'entendit-elle appeler. Viens... Oh, je t'en prie, Ryan...

Aucun mot n'aurait pu traduire la force de leur étreinte. Jamais Rosemary ne s'était sentie aussi désirable, aussi femme que lorsqu'il la pénétra. Leurs corps s'unirent, ondulant au rythme capricieux de leur soif de plaisir, et sombrèrent lentement dans l'extase qui s'offrit à eux presque comme une délivrance.

— Je ne regrette pas d'avoir attendu cinq ans cet instant, murmura-t-il dans ses cheveux.

Elle entrouvrit légèrement les yeux, alanguie, et l'observa à travers la frange épaisse de ses cils.

— Je suis heureuse, moi aussi, souffla-t-elle.

Pensivement, elle effleura la toison de la poitrine de Ryan, puis posa sa tête sur son cœur, se réjouissant de l'entendre battre contre son oreille.

Ryan prit soudain une forte inspiration.

— Rosie... Je ne peux pas envisager une relation si nous sommes constamment séparés par des centaines de kilomètres... Toi à New York, moi ici.

— Ce ne serait pas l'idéal, bien sûr, admit-elle en souriant.

Abandonnant sa position confortable, elle se redressa sur un coude pour le regarder.

— Tu es préoccupé, n'est-ce pas ? demanda-t-elle avec cette intuition particulière qui naît de l'amour.

— Oui... Je me retrouve de nouveau à découvert devant toi, et... cela m'effraie.

— Ryan, je ne voudrais pas...

Elle laissa sa phrase en suspens, interdite devant l'expression qu'elle lisait sur les traits de Ryan.

— Je t'en prie, Rosie, ne me fais pas de promesses que

tu ne pourras pas tenir, lui dit-il d'un ton presque dur. Je suis parvenu à surmonter ma peine lorsque tu m'as quitté il y a cinq ans, mais je ne suis pas certain d'y survivre une seconde fois.

« Et toi, tu ne quitteras jamais Apple Valley. Vivre en ville te tuerait », songea-t-elle silencieusement, se rappelant la fierté et le plaisir qu'il exprimait chaque fois qu'il parlait de la ferme. Pour rien au monde, elle n'aurait voulu forcer Ryan à quitter sa Géorgie natale. Il ne lui restait donc qu'une solution, mais elle ne parvenait pas à l'envisager sans que l'angoisse ne l'étreigne…

Ryan lui prit doucement le menton entre les doigts, et plongea son regard dans le sien. Elle sut que ce qu'il lisait dans ses yeux confirmait ses craintes.

Rosemary ne pourrait jamais s'adapter ici…

— Je pourrais essayer, proposa-t-elle soudain. On ne peux rien dire tant que l'on n'a pas essayé, n'est-ce pas ? De toute façon, ni l'un ni l'autre nous ne songeons à quelque chose de permanent…

Ryan semblait muré dans un silence qui la frustra. Elle aurait tant voulu qu'il la contredise, qu'il la rassure. Mais qu'espérait-elle ? Tout espoir était vain, elle le savait bien.

— Ryan… Je veux savoir ce que tu aimes. Je veux vraiment connaître l'homme qui vit ici. Peut-être que notre relation échouera, mais nous serions impardonnables de ne pas tout tenter. Il faut lui donner une chance, Ryan…

Il ouvrit la bouche pour parler, mais elle posa deux doigts sur ses lèvres.

— Ne dis rien tout de suite… pas un mot. Nous devrions essayer, tu ne crois pas ? Nous pourrions partager la vie que tu mènes ici, au moins pendant mon séjour.

Une profonde déception l'étreignit devant le mutisme qu'il lui opposait. Puis, brusquement, elle réalisa qu'elle avait toujours les deux doigts sur ses lèvres, l'empêchant de s'exprimer.

Devant son regard implorant, il éclata brusquement de rire et l'attira à lui en la serrant à l'étouffer.

— Oh, ma chérie... Bien sûr que nous allons essayer. Je ne sais pas si cela marchera, mais il le faut !

Il laissa retomber sa tête sur l'oreiller. Mon Dieu, qu'adviendrait-il s'il se laissait de nouveau emporter par ses sentiments ? Il se refusait à revivre cette vulnérabilité qu'il avait connue cinq ans auparavant. Rosemary n'accepterait jamais de passer le restant de ses jours à Apple Valley. Peut-être voulait-elle sincèrement s'en convaincre, mais il la connaissait suffisamment pour écarter d'office cette éventualité. Et puis, dans le cas contraire, pourquoi ponctuerait-elle ses phrases de « ... pendant que je suis ici... » ?

L'épuisement qu'il avait ressenti la veille sembla à nouveau fondre sur lui.

— Qu'y a-t-il, Ryan ? s'inquiéta-t-elle.

Il baissa les yeux vers elle et se força à sourire.

— Rien... murmura-t-il. Rien, je t'assure.

— Mais tu as l'air si sérieux tout à coup.

Il éclata de rire. Sérieux ! Oh oui, c'était le mot exact. Et effrayé de la perdre. Mais Ryan refusa de s'abandonner à la détresse et au pessimisme. Tant que cette femme merveilleuse serait près de lui, tout irait bien.

— Oui, c'est vrai. Je réfléchissais « sérieusement » à ton corps délicieux...

Se penchant sur elle, il effleura la pointe d'un sein de ses lèvres avant de relever les yeux vers elle.

— J'ai encore envie de jouer avec mon nouveau jouet, souffla-t-il avec un sourire espiègle.

— Ryan ! s'exclama-t-elle, feignant la plus profonde indignation.

Mais il bâillonna ses protestations d'un baiser qu'elle n'eut ni la force, ni le désir de repousser...

— Zack n'est pas là ? demanda-t-elle en dévorant de bon appétit la crêpe chaude qu'il venait de sortir du four à micro-ondes.

— Non. Lui et sa femme ne viennent que le lundi et le vendredi, expliqua-t-il en attaquant ses œufs brouillés. Elle nettoie la maison et remplit le congélateur. Le dimanche où tu es arrivée était une exception.

— Quel honneur... Il n'y a pas de porridge ?

Elle regarda autour d'elle, tandis qu'il leur versait une tasse de café.

— Enfin, Rosie... On ne prend pas de porridge avec des crêpes ! C'est très indigeste !

— Tu es plutôt de bonne humeur, ce matin, remarqua-t-elle.

— Je ne me suis jamais senti aussi bien. Qu'allons-nous faire aujourd'hui ?

Il s'installa de nouveau en face d'elle pour boire son jus d'orange.

— As-tu envie de quelque chose ?

— A quoi occupes-tu tes samedis d'habitude ? s'enquit-elle.

Devant son expression dubitative, elle poursuivit aussitôt.

— Je suis sérieuse, Ryan. Je veux apprécier les mêmes choses que toi.

— Comme tu veux... concéda-t-il enfin. Alors, nous allons nous rendre à Atlanta. Les Braves y disputent un match exceptionnel...

— Très bien. A quelle heure commence-t-il ?

— A deux heures. Nous pourrons rester dîner, et serons de retour suffisamment tôt pour nous coucher de bonne heure.

— Ensemble ?

— Evidemment.

— Et demain ?

— Et si nous nous occupions d'aujourd'hui d'abord ? plaisanta-t-il.

— Non, Ryan, je veux prendre un bon départ pour partager ce que tu aimes...

Il reposa sa fourchette et l'observa avec attention.

— Tu dois avoir déjà une petite idée de ce que j'aime... murmura-t-il d'une voix lascive.

Elle balaya joyeusement ses suggestions d'un geste de la main.

— Ryan, je ne plaisante pas...

— Bon, bon, ne t'énerve pas... Laisse-moi réfléchir. Et si nous allions faire une promenade en canoë sur la rivière ?

— En canoë ? Ce doit être amusant !

— Nous devrions d'ailleurs proposer à Carole de nous accompagner. Elle adore le canoë.

Rosemary n'avait pas pensé partager leur journée avec quelqu'un d'autre, mais Carole était une amie. Alors, pourquoi pas ?

Le match fut fantastique, tout du moins pour Ryan qui ne cessa de hurler dans les gradins, s'agitant comme un diable, sous l'œil amusé de Rosemary qui, en dépit de ses efforts, ne comprenait rien aux mêlées subites de ces superbes athlètes courant en tous sens sur le terrain.

Lorsqu'enfin les Atlanta Braves parvinrent à écraser les San Diego Padres au bout d'un douzième but acclamé par les ovations d'un public déchaîné, la tête de Rosemary reposait sur l'épaule de Ryan. Elle s'était assoupie.

— Hé, marmotte ! Réveille-toi, lui lança-t-il gentiment en tirant sur la visière de la casquette qu'il lui avait achetée.

Ils regagnèrent le parking au milieu de plusieurs milliers d'autres personnes. Heureusement que la saison du football était pratiquement terminée pour l'année, songea-t-elle. Non pas qu'elle se soit vraiment ennuyée, essaya-t-elle de se convaincre, mais cela durait seulement un peu longtemps… Et le soleil était si chaud… Et le bruit un peu assourdissant…

Ryan glissa un bras autour de sa taille et l'entraîna vers la sortie.

— Je me suis bien amusée, lui dit-elle en frottant sa joue contre l'étoffe de sa chemise de sport.

— Vraiment ? Es-tu sincère ? demanda-t-il avec un sourire empreint de suspicion.

— Oui, je t'assure, mentit-elle.

Enfin, ce n'était pas *tout à fait* un mensonge…

CHAPITRE NEUF

— Rᴀ́ʏᴀɴ, regarde ! s'exclama Rosemary.

Ryan passa la tête dans l'entrebâillement de la porte de la salle de bains. Il était nu jusqu'à la taille et ses joues étaient couvertes de crème à raser.

— Qu'y a-t-il, chérie ?

Sans rien dire, elle tendit les bras. Le contraste entre la pâleur de la peau de ses épaules et le rouge vif de ses bras était saisissant.

— Oh, ma chérie ! Je suis désolé. As-tu mal ? Je vais chercher de la crème, s'écria-t-il en faisant mine de retourner vers la salle de bains.

— Mais non, Ryan, l'arrêta Rosemary. Ce n'est pas tant mon coup de soleil que mon air clown qui me fait souffrir. Il va falloir que je porte des manches longues pendant au moins une semaine, gémit Rosemary, contrariée.

Elle regretta aussitôt ses paroles. Ces préoccupations étaient celles d'une enfant gâtée. Pourquoi attachait-elle tant d'importance à ce coup de soleil disgracieux ?

— Après tout, cela n'est pas grave, se reprit-elle.

L'expression ironique qui s'était peinte sur le visage de

Ryan s'effaça aussitôt et céda la place à la tendresse et à la compréhension. Il s'approcha d'elle et l'enlaça.

— Ne t'inquiète pas, Rosie. Tu as été conditionnée pendant vingt-neuf ans à tenir compte de ces détails totalement insignifiants. Tu ne peux pas changer en un jour...

— Trente ans, tu veux dire...

Rosemary éclata de rire et il secoua la tête avec une résignation comique. Le bout de son doigt disparaissant sous la crème à raser remonta le long du nez de Rosemary jusqu'à la racine de ses cheveux.

— Ton âge t'inquiète-t-il toujours autant ? demanda-t-il doucement.

— Non, bien sûr.

Levant la main à son tour, elle dessina un R sur la joue de Ryan. Tournant la tête vers le miroir, il croisa son regard dans le reflet de la glace.

— Est-ce une façon de me signifier que je t'appartiens ?

Abandonnant ce jeu à la recherche de plaisirs plus concrets, il fit glisser lentement la fermeture éclair de la robe de plage que portait Rosemary.

Le vêtement tomba dans un bruissement doux et Rosemary recula d'un pas, se libérant du cercle bleu qu'elle formait maintenant à ses pieds. Puis, à leur tour, ses doigts défirent la ceinture du pantalon de Ryan.

— Oui, cela t'ennuie ? répondit-elle, énigmatique.

Nus l'un face à l'autre, ils s'étreignirent et Rosemary frotta sa joue contre celle de Ryan.

— Non, murmura-t-il. Pas le moins du monde.

Sans rien ajouter, il entraîna la jeune femme vers la salle de bains où ils se glissèrent dans la cabine de douche. L'eau ruisselant sur leurs visages effaça toute trace de la crème.

— Que disions-nous ? l'interrogea Ryan, la voix enrouée par le désir.

— Rien d'important, répondit Rosemary sur le même ton, enroulant ses bras autour du cou de Ryan.

— Tu apprends vite, rétorqua-t-il en riant.

Il l'enlaça amoureusement et elle sentit contre son ventre l'évidence de son désir.

— As-tu déjà fait l'amour dans une douche, ma chérie ?

— Non, ronronna Rosemary, mais il n'est jamais trop tard pour essayer...

Plus tard, la tête posée sur le torse puissant de Ryan, Rosemary contemplait le mur moutarde en face d'elle.

— Désires-tu toujours que je m'occupe de la décoration de la maison ?

— Mmh, quand tu auras le temps.

— J'aimerais bien savoir qui a choisi la couleur de la peinture.

Ryan ouvrit un œil et suivit la direction de son regard.

— Le peintre, répondit-il paresseusement. Je n'avais pas le temps de la choisir moi-même et après tout, c'était son travail.

S'écartant doucement, il se hissa sur un coude et approcha son visage à quelques centimètres de celui de Rosemary.

— Je détestais cette couleur. Mais je dois t'avouer que depuis deux jours, je ne la remarque même plus.

— Moutarde, c'est très bon sur un hot-dog, mais c'est un peu violent pour une chambre exposée au sud.

Tendrement, elle ébouriffa ses cheveux et déposa un baiser sur ses lèvres.

— J'ai un vieux lit ancien au garde-meubles. Il ferait très bien ici. Les lignes en sont très masculines et...

— Non, Rosemary, la coupa Ryan. Je t'ai déjà dit

qu'il était hors de question que tu apportes tes meubles ici.

Légèrement surprise par la véhémence de son ton, Rosemary essaya de dissimuler sa réaction. Pourquoi était-il aussi intransigeant ? Ces meubles ne servaient à personne...

— Très bien, Ryan, soupira-t-elle. C'était seulement une idée que je lançais au hasard.

— Tu penseras à la décoration plus tard, ma chérie, murmura-t-il, radouci. Pour le moment...

Sa main s'insinua entre ses jambes et remonta lentement vers son ventre.

— Oui... Oh oui, Ryan...

Rosemary jeta un coup d'œil par-dessus son épaule pour être sûre de ne pas être entendue. Carole et son ami Andy étaient en train de sortir les pagaies de la camionnette.

— Quel dommage que nous ne soyons pas seuls, chuchota-t-elle à l'oreille de Ryan.

Il était agenouillé devant elle et attachait une lanière de son gilet de sauvetage. Rosemary portait un maillot de bain noir et avait emprunté une des chemises de Ryan qu'elle avait nouée autour de sa taille.

— Tais-toi, femme impudique, la gronda-t-il avec un clin d'œil malicieux. Carole ! Andy ! Etes-vous prêts ?

— Oui, répondit la jolie directrice des ventes. Avez-vous pensé à la glacière ?

— Oui, elle est déjà chargée.

D'un bond, Carole sauta dans l'un des canoës sans l'aide de personne. Depuis quelque temps déjà, Rosemary avait remarqué que la jeune femme nourrissait à l'égard de son patron des sentiments plus qu'amicaux. Ryan, bien sûr, ne s'était aperçu de rien. Par contre, cette attitude n'avait pas échappé à Andy qui arborait depuis le début de l'excursion une expression misérable qui éveilla la pitié de Rosemary. L'adoration qu'il vouait à Carole était manifeste et visiblement, la jeune femme le considérait comme un frère, rien de plus.

« L'après-midi risque d'être cornélien, songea Rosemary. Andy aime Carole, Carole aime Ryan... Mais qui Ryan aime-t-il ? Rosemary ? Non, Ryan n'aime encore personne... pour le moment. »

La section de la rivière qu'ils avaient choisie pour mettre les canoës à l'eau était paisible et le courant emporta lentement les fragiles embarcations.

Rosemary saisit une pagaie et commença à ramer fermement jusqu'à ce que Ryan lui ordonne de rester tranquille et de se détendre.

— Laisse faire la rivière, lui expliqua-t-il. Les pagaies servent à diriger le bateau, pas à le propulser en avant. Au contraire, tes efforts risquent de nous ramener à la rive. Tu ne voudrais pas atterrir une nouvelle fois dans la boue, ma chérie, n'est-ce pas ?

Depuis l'autre canoë, Carole entendit cette remarque et éclata de rire.

— Rosemary m'a raconté votre première leçon de conduite, Ryan. Moi, je trouve que c'est une excellente élève.

— Parce que je l'ai dressée, plaisanta Ryan à son tour. A propos, avez-vous regardé le match à la télévision hier soir ?

Carole s'empressa d'approuver, avec légèrement trop d'enthousiasme, de l'avis de Rosemary.

— Quelle partie ! s'exclama-t-elle. Les Braves sont vraiment imbattables !

Malgré elle, Rosemary ressentit les morsures de la jalousie en constatant la camaraderie complice qui unissait Ryan et Carole. Ce n'est qu'au prix d'un immense effort qu'elle se souvint de l'affection qu'elle portait à la jeune femme.

Se rencognant au fond de son siège, elle s'adonna à la contemplation de la superbe silhouette de Ryan. Il était vêtu d'un bermuda en toile et d'un tee-shirt gris rappelant la couleur de ses yeux. Assis au fond du canoë, il maniait avec aisance le petit gouvernail et Rosemary ne pouvait détacher son regard du jeu de ses muscles roulant sous la peau de ses bras et de ses cuisses.

Il était homme au point qu'elle pouvait difficilement reprocher à Carole d'être attirée par lui.

Levant les yeux, elle s'aperçut que Ryan n'avait rien perdu de l'examen auquel elle le soumettait depuis quelques minutes. Il sourit, amusé et le regard amoureux et sensuel qu'ils échangèrent était plus éloquent que les mots.

— Peux-tu me donner une bière, ma chérie ? lui demanda-t-il. Nous approchons des rapides.

— Des rapides ? répéta Rosemary, soudain effrayée.

En imagination, elle se représenta une cascade gigantesque coupant la rivière en deux... leurs corps ballottés entre d'énormes rochers, tels des fétus de paille, minuscules et impuissants contre la rage de l'eau...

— Ne fais pas cette tête-là ! s'exclama Ryan, éclatant de rire. Je ne parlais pas des chutes du Niagara !

— Mais tu m'as assuré que la rivière était sans danger, lui reprocha-t-elle, les sourcils froncés pas l'inquiétude.

— Et je ne t'ai pas menti. Sans rapides, une rivière est comme un whisky sans glace... Tu verras, c'est très amusant. Et après tout, n'est-ce pas toi qui as insisté pour venir ?

Il avait raison. Mue par le désir d'apprendre à aimer ce sport dont raffolait Ryan, elle avait commis la folie de suggérer cette promenade qui prenait un tour des moins rassurants. Philosophe, elle plaqua un sourire sur son visage et attendit l'apocalypse.

Trois heures plus tard, ce sourire s'était effacé depuis longtemps. Elle était trempée jusqu'aux os, tremblante de froid en arrivant au cottage. Elle agita faiblement la main lorsque Ryan s'éloigna dans un crissement de pneus.

Eût-elle été traînée sur plusieurs mètres par un cheval emballé, ses membres ne l'auraient pas fait moins souffrir. De la tête aux pieds, ses muscles n'étaient plus qu'une crampe douloureuse.

Ryan l'avait chaudement félicitée, lui assurant que pour une première fois, elle s'en était tirée plus qu'honorablement. Elle frissonna à l'idée qu'il pût y en avoir une deuxième.

Pourtant, en toute honnêteté, elle ne s'était jamais autant amusée de sa vie. Cette excursion resterait même à jamais gravée dans sa mémoire. Bien sûr, quelquefois, elle s'était surprise à rire exagérément fort, mais elle reconnaissait que la torture n'avait pas été aussi pénible qu'elle l'avait imaginé.

En la quittant, Ryan lui avait conseillé de prendre un bain chaud pour détendre ses muscles endoloris par l'effort. Il lui avait promis de venir dîner en sa compagnie et cette perspective lui insuffla un renouveau d'énergie.

Elle ouvrit en grand les robinets et versa au fond de la baignoire des sels de bain parfumés. Avec volupté, elle se plongea dans l'eau chaude, en soupirant d'aise.

— Miaou...

Ouvrant une paupière, elle vit le chaton se faufiler par l'embrasure de la porte.

— Viens, mon Poussah. Mais je t'en supplie, reste tranquille. Je suis à l'agonie et j'aimerais mourir en paix.

Sans lui prêter attention, le chaton inspecta la salle de

bains avec une curiosité caractéristique de ces félins. Rosemary le suivit des yeux quelques instants et sans même s'en rendre compte, s'assoupit.

Lorsqu'elle rouvrit les yeux — Dieu sait combien de temps après ? — Ryan était assis au bord de la baignoire et la contemplait d'un air attendri.

— Bonjour. Je suis en retard ou est-ce toi qui es en avance ?

— C'est moi, répondit-il, étrangement calme.

Au moment où elle se redressait, ses jambes endolories refusèrent de la porter.

— Aïe... je suis toute courbatue, gémit-elle. Veux-tu m'aider ?

Ryan reposa la serviette qu'il tenait à la main et la souleva à bras-le-corps.

— Tes vêtements vont être trempés, s'exclama Rosemary.

— Aucune importance, je les enlèverai.

Sur ces mots, il commença à la sécher lentement et avec précaution. Goûtant cet instant de tendresse, Rosemary ferma à demi les yeux, ronronnant comme un chat. Lorsqu'il eut terminé, elle se laissa guider jusqu'à la chambre où il l'allongea doucement sur le lit. Puis, l'abandonnant quelques secondes, il ressortit et revint aussitôt, une bouteille de lotion parfumée à la main.

Il avait déboutonné sa chemise et le regard de Rosemary s'attarda un instant sur la toison soyeuse qui dissimulait son torse musclé.

— Veux-tu me masser ? demanda-t-elle en s'étirant voluptueusement.

Dans ce geste, sa poitrine se souleva doucement et elle vit les lèvres de Ryan s'entrouvrir.

— Pas si tu continues comme cela, vile séductrice, plaisanta-t-il dans un murmure rauque. Allonge-toi sur le ventre.

Rosemary s'exécuta et croisa les mains sous son menton. Lorsqu'un filet de lotion fraîche roula sur sa peau, elle frémit légèrement. Mais aussitôt, elle sentit la paume brûlante de Ryan sur son corps. Nuque, épaules, bras, dos, cuisses et mollets, rien n'échappa à ses tendres soins. Des muscles qu'elle n'aurait jamais imaginés tendus — comme ceux de la plante des pieds ou du bout de ses doigts — furent traités avec la même patience amoureuse.

Au moment où elle songeait que tout son corps s'était liquéfié et qu'une sensation d'apesanteur l'envahissait tout entière, elle sentit le massage de Ryan se transformer imperceptiblement en caresses. Ses doigts effleurèrent les côtés de ses seins et à ce contact, elle sortit instantanément de sa douce torpeur.

Lorsque la moustache de Ryan frôla ses épaules, elle retint son souffle.

— Je croyais que tu dormais, la taquina Ryan d'une voix très grave.

— Je le croyais aussi... murmura-t-elle faiblement.

Elle l'entendit rire doucement et un frisson parcourut son dos.

Ryan glissa les mains sous elle et emprisonna ses seins au creux de ses paumes. Elle sentit leur pointe se raidir et elle se souleva légèrement. Répondant à cette invitation muette, les pouces de Ryan entamèrent un lent mouvement circulaire autour de l'auréole brune, lui arrachant de profonds soupirs.

Décuplant la torture que lui infligeaient ses mains, sa langue traça un chemin de feu sur son dos et au creux de ses reins. Une plainte s'échappa des lèvres de Rosemary.

— Ryan... je te désire tant...

Soudain, des bras forts la soulevèrent et la reposèrent doucement sur le dos. Elle tendit les mains vers lui et les insinua sous les pans de sa chemise. Ses ongles s'enfoncèrent dans la chair de ses épaules, l'attirant contre elle, lui arrachant presque ses vêtements.

Leurs bouches se cherchèrent avidement et un baiser brûlant de passion les réunit. Pêle-mêle, la chemise et le pantalon de Ryan volèrent à travers la pièce et il se dressa, superbe, au-dessus d'elle.

D'un seul mouvement, ils s'enlacèrent et roulèrent l'un contre l'autre en travers du lit. Avec une tendresse sauvage, Ryan la fit sienne et elle l'accueillit en elle, au paroxysme du désir. Le nom de Ryan devint une litanie sur ses lèvres gonflées de plaisir, accompagnant le rythme de leurs corps, accroissant leur ascension vertigineuse vers les sommets de l'extase.

Soudain, de la gorge de Rosemary s'éleva une longue plainte modulée et son corps se cambra contre celui de Ryan, tendu à se rompre. Au même moment, contre la peau douce de son épaule, il cria son nom...

Envahis par une torpeur délicieuse, ils restèrent longtemps enlacés, ivres d'amour et de volupté. La tenant dans ses bras, Ryan roula sur le côté et approcha son visage du sien. La caresse de son souffle chaud sur ses paupières la fit frissonner et elle scruta l'expression de son visage un long moment.

— Ryan ? Est-ce que je peux te dire quelque chose ?

Il effleura l'arête de son nez d'un doigt léger.

— Je t'écoute, ma chérie.

— Je crois que je suis en train de tomber amoureuse de toi...

Ces mots n'exprimaient qu'à demi la vérité car, pour Rosemary, cet amour était désormais une certitude. Elle l'aimait profondément et pour l'éternité. Un voile traversa le regard gris de Ryan et des larmes montèrent aux yeux de la jeune femme. Il lui échappait...

— Que veux-tu dire, Rosie ? l'interrogea-t-il, un doute dans la voix.

Elle n'était pas prête à rester définitivement à Apple Valley, songea-t-il. Lui signifiait-elle simplement qu'elle avait besoin de chaleur et d'affection dans sa vie ? Pourtant, connaissant Rosemary, il savait qu'elle ne prendrait rien sans donner en retour. Mais un doute affreux la persécutait encore.

Les yeux de Rosemary s'embuèrent de larmes qui roulèrent doucement sur ses joues avant de mourir sur l'épaule de Ryan. Il les sentit avant même de les voir...

— Je t'en supplie, ne pleure pas, murmura-t-il.

« Les hommes n'aiment pas les larmes », songea-t-elle au désespoir. Son père le lui avait suffisamment répété. Pourquoi n'avait-elle pas retenu cette leçon ?

Elle s'écarta doucement et Ryan n'essaya pas de la retenir. Avec un soupir, il laissa retomber sa tête sur l'oreiller et croisa les mains derrière la nuque.

— Rosemary, tu as un appartement à New York et moi, une ferme en Géorgie. L'amour ne survivra pas à cette séparation. Et je ne te crois pas capable de t'adapter à la vie simple que je mène.

— Comment peux-tu le savoir, sans avoir jamais essayé ?

— Je ne veux pas être l'objet d'une expérience, Rosie.

— Ryan ! s'écria la jeune femme, mortifiée. Comment peux-tu imaginer une chose pareille ? Je te demande simplement de nous donner une chance, à tous les deux, ajouta-t-elle en se tournant brusquement vers lui.

La mâchoire de Ryan se crispa légèrement puis se détendit à nouveau.

— Nous ne découvrirons rien de mieux que ce que nous vivons actuellement, la raisonna-t-il. Une relation basée sur une amitié sincère et le désir que nous éprouvons l'un pour l'autre.

Qui essayait-il de convaincre ? Lui ou elle ?

Ces mots s'enfoncèrent dans l'esprit de Rosemary avec la violence d'un coup de couteau entaillant son cœur d'une blessure profonde.

— D'accord, lui lança-t-elle sèchement.

Elle s'assit et enroula ses bras autour de ses genoux. Ce regard sceptique lui était insupportable et elle détourna vivement la tête.

— Ne me rejette pas sans me donner la moindre chance, Ryan. Toi, tu t'adaptes à n'importe quelle situation. Tu es aussi heureux à New York qu'ici. Je t'admire pour cela et je voudrais m'efforcer de te ressembler. Ce n'est pas une expérience que je te propose. Plus maintenant...

L'expression de Ryan reflétait son incrédulité.

— Tu me vois comme une personne étroite d'esprit, incapable d'élargir ses horizons. Mais je vais bientôt avoir trente ans et j'ai beaucoup réfléchi sur ma vie. Je suis prête à changer, maintenant.

Elle le contempla d'un regard suppliant, espérant de tout son cœur qu'il la comprendrait et la croirait. Devant le mutisme obstiné qu'il observait, elle soupira et ferma les yeux.

Soudain, elle sentit la main de Ryan se glisser dans ses cheveux et son front se poser sur son bras. Elle retint son souffle.

— J'aimerais... commença-t-il doucement.

Mais la résistance de Rosemary à sa froideur avait atteint ses limites. Se levant brusquement, elle enfila un peignoir. Qu'il réfléchisse à ce qu'elle venait de lui révéler...

Nouant la ceinture autour de sa taille sans un regard vers lui, elle se dirigea vers la porte. Il la suivit des yeux jusqu'à ce qu'elle eût disparu dans le couloir, le laissant en proie à un profond désarroi voisin du désespoir.

Il connaissait la force qui avait poussé Rosemary au succès qu'elle avait atteint. Très peu de dessinateurs égalaient son talent. Les gratifications qu'elle avait obtenues de son travail étaient innombrables et prestigieuses. Il la comprenait parfaitement car la même force l'animait, lui. Rosie et lui étaient faits de la même étoffe.

La dépression dans laquelle il avait trouvé Rosemary plongée lors de sa dernière visite à New York n'était que passagère, il en était convaincu. Lorsqu'elle surmonterait les difficultés qu'elle traversait actuellement, elle continuerait à vivre comme avant, sans lui...

Grommelant, il sauta à bas du lit. Qu'allait-il faire ? Il ne pouvait s'exposer aux caprices de Rosemary. Elle était trop belle, trop adorable, il l'aimait trop profondément.

Il se passa nerveusement la main dans les cheveux. Il ne pouvait lui avouer que les sentiments qu'il s'était découverts pour elle, il y a cinq ans, ne l'avaient pas quitté. Qu'ils avaient même redoublé d'intensité. Il ne pourrait supporter une nouvelle fois son rejet.

Il était préférable qu'elle rentrât à New York.

Quelques minutes plus tard, il la rejoignit dans la cuisine. Elle avait allumé le petit transistor et un air de country music emplissait la pièce. Il s'approcha de la table et baissa le son.

— Rosemary ?

Elle tourna vers lui son magnifique regard et il réalisa soudain avec une acuité poignante que l'espoir y brillait. L'espoir, la confiance et l'amour... Et ces trois émotions étaient invincibles.

— Peut-être, murmura-t-il...

CHAPITRE DIX

L<small>E</small> téléphone sonna, les tirant tous deux d'un profond sommeil.

Installé confortablement au pied de leur lit, Poussah s'étira et bâilla longuement avant de se remettre en boule.

— J'y vais, déclara Ryan d'une voix endormie.

Il se releva brusquement et rejeta les couvertures.

— Mon Dieu, Rosie, quelle heure est-il ?

Il se précipita dans le couloir. Telle une fusée, Rosemary le devança et décrocha le récepteur.

— Allô ?... Oui, je suis sur le point de partir...

Elle lança à Ryan un regard ennuyé. Visiblement, son interlocuteur semblait contrarié.

— Je suis désolée, Charles, poursuivit-elle, mon réveil n'a pas sonné...

Ryan, soulagé, se mit à rire doucement en croisant les bras sur sa poitrine, amusé par cette bien médiocre excuse.

— Menteuse, lui souffla-t-il à l'oreille.

Elle posa la main sur le combiné.

— Chut... murmura-t-elle, il pourrait t'entendre.

Elle enleva sa main et lui tourna le dos.

— Ryan ?... Non, non, je ne sais pas où il est... Bien sûr, si je le vois je lui transmettrai votre message. Au revoir, Charles.

Elle raccrocha et fit face à Ryan.

— Quel message ? lui demanda-t-il en l'enlaçant.

— Ryan, ce n'est plus possible, tu ne peux pas passer tes nuits ici...

— Bonjour, Rosie, lui dit-il en effleurant ses lèvres.

— Bonjour, répondit-elle en déposant un petit baiser sur sa joue.

Elle se dégagea vivement de lui.

— Apple Valley est un tout petit hameau et je vis chez ta mère. Ta voiture est garée juste devant la maison à la vue de tous. C'est de l'inconscience...

— Il est un peu tard pour t'en inquiéter, ma chérie, répliqua-t-il, bien que légèrement culpabilisé.

Il aurait dû penser, effectivement, que dans ce village, chacun était à l'affût d'une anecdote, d'un commérage à colporter. Il n'était pas très délicat de sa part de risquer de compromettre la réputation de Rosemary.

— Je ne tiens pas à alimenter les potins d'Apple Valley, rétorqua-t-elle.

Elle passa devant lui pour retourner dans la chambre.

— Est-ce que Charles, poursuivit-il, aurait insinué que...

Elle l'interrompit brusquement en enfilant son peignoir d'éponge.

— Non. Mais cela ne saurait tarder. Ensuite, le bruit se répandra comme une traînée de poudre...

Un sourire satisfait se dessina sur les lèvres de Ryan.

— Tout ce qu'ils pourront dire, c'est que je suis le plus chanceux des hommes... Tu n'as qu'à répondre à Charles que ton patron t'a confié une mission particulière et que tu es la seule à pouvoir l'exécuter...

— Il serait ravi d'une telle explication, ironisa-t-elle.

Il attrapa à la hâte ses vêtements posés sur le fauteuil.

— En fait, Charles appelait au sujet de Carole, reprit Rosemary. Sa mère doit être hospitalisée à Chattanooga et elle voudrait te voir avant de partir cet après-midi.

— La pauvre. Sa mère est malade depuis des années... dit-il en enfilant son jean.

— J'en suis désolée.

En dépit de la sympathie qu'elle éprouvait pour son amie, Rosemary ne put s'empêcher de guetter l'expression de Ryan alors qu'il parlait de Carole.

— Heureusement, elle a deux frères et ne sera pas toute seule pour affronter cette pénible épreuve.

— Oui, c'est une chance.

Il passa rapidement sa chemise et, tout en la boutonnant, se pencha vers Rosemary pour l'embrasser.

— Veux-tu que je te prépare une tasse de café avant de partir ?

— Non, je te remercie, ma chérie. Il vaut mieux que je me dépêche. Je vais passer chez moi me doucher et me changer et je te retrouverai pour déjeuner. D'accord ?

Rosemary hocha pensivement la tête.

— D'accord, répondit-elle faiblement. A tout à l'heure.

— Ce n'est pas possible, Rosemary, les gammes de couleurs sont déterminées des années à l'avance et font partie de tout un ensemble de décoration.

— Je ne suis pas d'accord, Charles. Avez-vous déjà remarqué l'influence que peuvent avoir certains événements sur les arts, la mode ou la décoration ? Lors des dernières élections présidentielles, il y eut un engouement subit du public pour le bleu et le rouge et il a fallu y faire face en catastrophe. Les tendances pour cette année-là avaient été prévues en pastel.

— Votre théorie est peut-être valable pour la mode, répliqua-t-il, mais pas pour ce qui nous concerne.

Il se retourna vers les employés qui assistaient à cette discussion, cherchant parmi eux un appui pour étayer son argumentation. Comme par hasard, chacun semblait très absorbé par son travail.

— Pouvez-vous m'affirmer que les élections n'ont eu aucune incidence sur vos ventes ?

Elle lui faisait face, les poings plantés sur les hanches, décidée à ne pas capituler.

Elle arbora un air satisfait devant le mutisme de Charles.

Cette théorie qu'elle pressentait depuis des années s'était imposée clairement à elle ce matin sur le trajet de l'usine.

La radio avait annoncé que le prochain voyage présidentiel qui devait se dérouler en Orient — au Japon, en Chine et aux Philippines — serait suivi d'une visite de la Corée. Il était prévu pour le mois d'octobre, aux premiers jours de l'automne.

Il était donc impératif d'envisager une gamme de modèles dans les couleurs orientales.

Rosemary s'était arrêtée un bref instant à la réception de l'usine pour prendre son courrier puis s'était dirigée vers le bureau de Charles pour affronter le lion dans sa tanière !

Il avait, bien entendu, refusé d'emblée son idée et l'avait accompagnée jusqu'à l'atelier pour poursuivre cette discussion.

— C'est un pari trop dangereux, lui lança-t-il, et je ne peux risquer la réputation de notre société.

Elle était persuadée que ce voyage allait entraîner une folie des consommateurs pour toutes les « chinoiseries », des tissus aux meubles, en passant par la décoration d'intérieur. Et Ryan Mills devait être prêt à satisfaire la demande du public.

— J'ai moi aussi une réputation à défendre, Charles, répliqua-t-elle sèchement.

Charles mit fin à cet entretien et quitta le bureau, furieux.

Rosemary adressa un sourire aux employés qui la regardaient, étonnés.

— Est-ce dans ses habitudes d'être si peu aimable ? leur demanda-t-elle gentiment.

Sammy, un homme à la barbe rousse, s'avança vers elle.

— Il est toujours ainsi, lui dit-il en souriant. Mais je crois que vous avez marqué un point. C'était à lui de prévoir cette influence orientale puisqu'il se vante d'être toujours le premier sur le marché. Il n'a pas supporté d'être pris de vitesse.

Rosemary se retourna vers une bibliothèque.

— Avons-nous de la documentation sur l'Orient ?

Sammy lui présenta plusieurs volumes traitant des couleurs, des motifs et de la décoration orientale.

Elle s'installa à sa table et se plongea dans les livres.

Quelques heures plus tard, un appel de Ryan, lui demandant de le rejoindre, la tira de sa lecture. Elle ne s'était pas aperçue du temps qui s'était écoulé.

L'heure du déjeuner était depuis longtemps dépassée et Ryan devait avoir l'estomac dans les talons.

Mais elle n'avait pas envie d'interrompre son travail par un long déjeuner au restaurant et elle espéra convaincre Ryan de se faire apporter quelques sandwiches.

— Tu as devancé mes désirs ! s'exclama-t-elle en apercevant la pizza géante posée sur son bureau.

— J'en suis ravi, lui dit-il en la prenant dans ses bras.

— Une margherita, c'est celle que je préfère !

Ils mangèrent en silence quelques instants. La pizza était délicieuse et les bières bien fraîches.

Ryan s'adossa à son fauteuil et soupira de contentement.

— Ton patron était-il vraiment furieux de ton retard ? lui demanda-t-il en souriant.

Elle hésita avant de répondre.

— Pas vraiment. Mais son humeur ne s'est guère améliorée depuis...

— C'est-à-dire ?...

Elle aurait préféré attendre encore avant de lui soumettre son projet, mais n'était-il pas le patron de cette entreprise ?

Elle lui fit donc un exposé précis de sa théorie des couleurs, de l'incidence des événements sur les prévisions de production et Ryan l'écouta attentivement.

— Qu'en penses-tu ? lui demanda-t-elle après son explication.

Il sembla réfléchir un moment.

— Nous verrons... répondit-il très circonspect.

— Ne fermez pas la porte, Paul, j'en ai pour un instant.

— Oui monsieur, répondit le gardien de nuit impassible.

Il était plus de minuit et c'était la troisième fois que Ryan revenait à l'usine depuis la fermeture des bureaux.

« J'espère que c'est la dernière fois », songea Ryan en se dirigeant vers le département « dessin ».

Rosemary était si absorbée par son travail qu'elle avait à peine remarqué les visites de Ryan.

Elle avait avalé le sandwich qu'il lui avait apporté vers neuf heures et demie, sans s'interrompre une seule seconde.

A onze heures, il était revenu lui annoncer qu'elle

n'avait pas à s'inquiéter pour Poussah, il s'était occupé de lui porter à manger.

— Très bien, avait-elle répondu sans même lever la tête.

— Bon, cette fois, c'est terminé ! lui lança-t-il en pénétrant dans le bureau.

— D'accord ! acquiesça-t-elle en s'étirant comme un chat. D'ailleurs, je n'en peux plus... Et je dois appeler New York, demain matin, à la première heure...

Ryan, qui s'était préparé à mener bataille pour la tirer de ses livres, secoua la tête en souriant.

— Ah, les artistes !... soupira-t-il.

— Eh bien ?...

— Sais-tu quelle heure il est ? dit-il en lui prenant la main et en l'entraînant vers le couloir.

— Non. Je n'en ai aucune idée.

— Il est plus de minuit.

— Vraiment ? Il est si tard... Oh, mon pauvre chéri, tu dois être affamé !...

Il la regarda d'un air curieux. S'était-il trompé sur ses facilités d'adaptation ? Il constatait que Rosemary se jetait à corps perdu dans tout ce qu'elle entreprenait. Mais ne vaudrait-il mieux pas penser à eux deux ?...

Ils étaient installés dans la cuisine, le lendemain matin, devant deux bols de café fumant et une assiette de toasts grillés.

— Je suppose que l'idée d'aller camper ce week-end ne t'enchante guère ? hasarda Ryan en attrapant le pot de confiture.

Ils avaient oublié, hier soir, leur décision de ne plus passer leurs nuits, ensemble, au cottage.

Rosemary faillit s'étrangler en avalant son café.

— Camper ?...

— Nous pourrions profiter de la réservation qu'avait

faite Carole dans l'île de Cumberland, au sud de la Géorgie. C'est une région très protégée et les autorisations de camping sont extrêmement difficiles à obtenir, surtout en cette saison. Carole est désolée de ne pouvoir utiliser ce permis et elle me l'a offert.

— Si, je pense que cela me plairait... répondit Rosemary prudemment.

— Allez, Rosie, sois franche. Nous savons tous les deux que le camping n'est pas ta distraction favorite !

Elle avait bien senti l'accent sarcastique de Ryan et elle se demanda s'il était en train de la défier.

— Oui, tu as raison, je ne suis pas certaine d'apprécier... Mais je veux bien essayer...

— Je ne comprends pas pourquoi.

Elle soupira profondément et appuya sa tête dans ses mains.

— Tout simplement parce que j'ai envie d'être avec toi. Ryan, j'ai l'impression que tu ne m'as pas prise au sérieux quand je t'ai dit que je t'aimais. Pourtant, c'est vrai. Tu n'as pas l'air de te rendre compte que, moi aussi, je doute. Non pas en ce qui concerne mes sentiments, mais je ne sais pas si j'aurai la force d'accepter un déracinement. La seule manière pour moi de le découvrir est de partager, le plus possible, tout ce que tu aimes.

— Même si cela te coûte beaucoup ? lui demanda-t-il. Je sais que l'après-midi au stade ne t'a pas plu et encore moins la promenade en canoë...

— C'était la première fois que je mettais les pieds dans ce genre d'embarcation, répondit-elle en se resservant un bol de café, et cela n'a pas été aussi désastreux...

Il lui lança un regard chargé de soupçons.

— Peux-tu prétendre y avoir pris du plaisir ?...

— Non, je n'irai pas jusque-là. Mais j'ai quand même survécu ! répliqua-t-elle en se redressant fièrement sur sa chaise.

— Cela signifie beaucoup pour toi, n'est-ce pas, de faire des expériences, de t'éprouver ?...

Elle réalisa qu'effectivement ce n'était pas lui qui la défiait mais elle-même qui se mettait à l'épreuve, voulant dépasser ses propres limites.

— Oui, je crois que tu as raison, lui dit-elle en souriant. C'est pourquoi je suis tentée par le camping. Je pense pouvoir supporter cette nouvelle épreuve, ajouta-t-elle en plaisantant.

— Très bien, Rosie. Dans ce cas, nous partirons samedi matin de bonne heure.

— Je m'occupe de la nourriture.

Il s'apprêta à protester mais elle ne lui en laissa pas le temps.

— Non, laisse-moi faire. Je te promets de demander conseil à Zack si je ne m'en sors pas.

Elle avait déjà sa petite idée et décida que ce week-end serait inoubliable.

Puis tout à coup, l'image de Carole s'imposa à elle.

— Ryan ? commença-t-elle en levant les yeux vers lui, as-tu remarqué que Carole est très attirée par toi...

— Vraiment ? répondit-il, une lueur d'amusement au fond des yeux.

Il s'était rendu compte que Carole aurait aimé changer la relation patron-employée qui existait entre eux, mais il ne l'avait jamais encouragée dans ce sens.

— Oui. Je voulais savoir si tu en avais conscience.

— Serais-tu jalouse, Rosie ?

Elle approuva silencieusement en hochant la tête, mais se reprit aussitôt.

— Non, en fait j'aime beaucoup Carole mais je me suis aperçue que vous aviez tous deux de nombreux points communs.

Ryan dut s'avouer qu'il était agréablement surpris par la jalousie de Rosemary.

Il s'interrogea alors sur Carole. Pourquoi n'avait-il jamais envisagé la moindre aventure avec elle ? Pourtant, c'était une femme séduisante et, ainsi que le lui avait fait remarquer Rosemary, ils partageaient les mêmes affinités. La vérité était que depuis cinq ans, inconsciemment, Rosemary occupait son cœur.

Elle se leva et débarrassa la table du petit déjeuner.

— Tu n'hésiterais pas à l'emmener, n'est-ce pas ? demanda-t-elle vivement. Tu serais assuré de passer un bon week-end en sa compagnie.

Il se leva à son tour et contourna la table pour la prendre dans ses bras.

— Ma chérie, je te jure que je n'ai jamais eu le moindre désir pour Carole et que je ne l'ai jamais considérée autrement que comme une amie.

Il lui prit le visage entre ses mains.

— Me crois-tu ?

Après la nuit qu'ils venaient de passer, comment pouvait-elle douter de lui ?

Elle se hissa sur la pointe des pieds et déposa un baiser sur ses lèvres.

— Oui, souffla-t-elle, je te crois. Mais maintenant, il est l'heure de partir et je te rappelle qu'il vaudrait mieux que tu ne passes plus tes nuits ici.

— Je sais, admit-il, mais c'est si difficile de résister...

Ils s'étreignirent avec force.

— Nous avons tout le week-end devant nous, murmura-t-elle.

Le vendredi matin, Rosemary avait terminé trois des quatre maquettes qu'elle avait conçues pour la nouvelle gamme « Rosemary ».

Avec satisfaction, elle songea que d'ici le soir, elle aurait terminé la quatrième et serait ainsi disponible pour ne penser qu'à son week-end.

Elle avait commandé, la veille, un somptueux pique-nique à un traiteur d'Atlanta et s'était même acheté un jean.

Charles apparut alors devant elle.

— Puis-je vous entretenir quelques instants, Miss Addison ?

— Certainement, monsieur Davis, répondit-elle du même ton.

Elle se leva et le suivit.

Rosemary blêmit en apercevant, posés sur le bureau de Charles Davis, les échantillons de ses dessins.

— Où vous êtes-vous procuré mes maquettes ? demanda-t-elle en lui faisant brusquement face.

— Ils étaient sur votre table à dessin.

Il prit négligemment entre ses doigts un échantillon réalisé dans une teinte rouge sombre.

— Mais Charles, comment avez-vous osé me les prendre ?... Vous savez très bien que je tiens à m'en occuper personnellement...

— Je suis responsable des produits finis, répliqua-t-il d'une voix sèche. Je devais les présenter au service commercial.

— Vous auriez dû m'en avertir ! Mais vous avez préféré passer outre pour m'ôter toute chance de défendre mon point de vue, n'est-ce pas ?

Jamais on ne l'avait traitée aussi cavalièrement. Elle était furieuse mais s'efforça de rester calme.

— Je leur ai bien entendu expliqué votre théorie, enchaîna Charles, et parlé du prochain voyage présidentiel. Le problème c'est qu'ils ne sont absolument pas convaincus. Je pense que nous devrons abandonner cette idée.

Elle serra les poings de rage.

— Avez-vous prévenu Ryan ?

— Non. Le service commercial s'en chargera. J'ai, de mon côté, préparé un mémo.

Il laissa retomber l'échantillon sur son bureau, une moue méprisante aux lèvres.

— Vous n'êtes pas sans savoir que je touche un salaire très important… Cela ne vous inquiète-t-il pas ?

— Pas spécialement, poursuivit-il imperturbable. Votre salaire représente une perte minime comparée à celle que nous subirions en poursuivant cette production.

— Charles, pourquoi avez-vous fait cela ? lui demanda-t-elle calmement, refrénant l'envie qu'elle avait de l'étrangler. Pourquoi ? insista-t-elle.

Le visage de Charles s'empourpra tout à coup.

— Vous vous croyez infaillible, n'est-ce pas, mademoiselle la styliste new-yorkaise ? la toisa-t-il. Eh bien sachez que notre service commercial est un des plus réputés de la profession.

Elle se sentit profondément choquée par l'expression de dédain qu'elle lisait dans ses yeux.

— Mais expliquez-moi pourquoi je ne pourrais pas en discuter directement avec eux ?

— Je ne vous dois aucune explication, jeta-t-il durement.

Elle sortit du bureau en claquant la porte, les jambes tremblantes. C'était la première fois qu'elle était confrontée à une telle opposition. Elle devait se reprendre avant de regagner l'atelier.

Elle se dirigea vers les toilettes pour se donner le temps de se calmer.

Toutes les incertitudes qu'elle avait ressenties à chaque nouvel emploi la submergèrent à nouveau. Peut-être avait-elle eu tort de croire en sa théorie. Elle admit à contrecœur qu'il pouvait être risqué d'engager toute une production sur une simple prospective. Elle n'avait pas le droit de prétendre être la meilleure.

Elle s'éclaboussa le visage d'eau fraîche.

Il fallait qu'elle voie tout de suite Ryan. Qu'elle lui parle avant que le mémo ne lui parvienne.

Elle sortit des toilettes et se précipita vers le bureau de Ryan.

— Bonjour, la salua Jackie en raccrochant le téléphone. J'essayais justement de vous joindre.

— Jackie, je dois absolument parler à Ryan, lui annonça-t-elle un peu essoufflée.

— Il vient de partir pour Atlanta.

— Atlanta ? s'étonna Rosemary.

— Oui, la nouvelle salle d'exposition pose quelques problèmes. Il a préféré les régler avant son départ en vacances.

Des vacances ? Il partait en vacances au moment où elle avait besoin de lui ?...

— Il m'a demandé de vous prévenir qu'il rentrerait probablement très tard ce soir et qu'il vous attendrait demain matin à l'aéroport, à six heures. D'autre part, ne vous inquiétez pas pour Poussah, je m'en occuperai pendant votre absence.

— L'aéroport ?... répéta faiblement Rosemary.

— Rosie, que se passe-t-il ?

Des larmes perlèrent aux paupières de Rosemary.

— Je viens de me disputer avec Charles...

Jackie hésita un instant avant de parler.

— Charles a très peur de vous, Rosie. Il est persuadé que vous êtes là pour prendre sa place.

— Mais c'est absurde ! s'exclama Rosemary. Ce n'est pas du tout le cas !

— Non, bien sûr. Mais tout le monde est au courant de votre liaison avec Ryan et Charles s'imagine que si vous l'épousez, il se passera de ses services.

Pauvre homme, songea-t-elle, toute colère évanouie.

— De toute façon, lâcha-t-elle amèrement, je n'épouserai pas Ryan.

Malgré sa curiosité, Jackie s'abstint de lui en demander les raisons.

— Je suis très contente que vous entrepreniez ce petit voyage. Vous avez beaucoup travaillé, ainsi que Ryan, et cette détente vous fera le plus grand bien.

— Merci Jackie, à lundi, lui lança-t-elle en sortant du bureau.

CHAPITRE ONZE

Le pilote regarda Rosemary approcher, et se précipita pour l'aider, en remarquant qu'elle semblait littéralement plier sous le poids de son sac à dos.

— C'est vraiment lourd, Miss Addison... Etes-vous certaine de pouvoir le porter ?

En dépit de la fraîcheur de l'aube, le front de Rosemary était couvert de petites gouttes de transpiration.

— Mais bien sûr, Stan. Je suis plus forte que je ne parais, je vous assure... Ryan n'est-il pas encore arrivé ?

L'homme jeta un rapide coup d'œil à sa montre.

— Il sera ici d'une minute à l'autre. Il n'est jamais en retard.

A peine terminait-il sa phrase que la Lincoln poussiéreuse de Ryan se garait dans le parking de l'aéroport, les balayant tous les deux du faisceau de ses phares.

Ryan en sortit avec un sourire radieux.

— La journée promet d'être superbe ! lança-t-il joyeusement.

Rosemary s'efforça de lui retourner son sourire, dissimulant tant bien que mal son regret de ne pas profiter de ce samedi pour se prélasser au lit.

— Comment trouves-tu ma tenue ? s'enquit-elle en pirouettant devant lui.

Ryan posa les mains sur ses épaules et observa d'un œil approbateur le jean moulant ses longues cuisses et la chemise rouge dont le col relevé mettait en valeur la fraîcheur de son teint.

— Tu m'as manqué cette nuit, murmura-t-il à voix basse pour ne pas être entendu de Stan.

— Toi aussi... Je n'ai pas très bien dormi, répondit Rosemary avec un clin d'œil complice.

Ryan effleura légèrement sa tempe d'un baiser.

— Viens... Il faut y aller, maintenant. Je ne voudrais pas que nous arrivions en retard pour le ferry de neuf heures quinze.

Il l'aida à monter dans l'avion et à attacher sa ceinture avant de rejoindre Stan et de s'installer dans le siège du copilote.

Rosemary s'adossa le plus confortablement possible dans le siège rembourré et ferma les yeux. Elle était loin de la vérité lorsqu'elle avait avoué à Ryan ne pas avoir très bien dormi. Elle n'avait en fait pas pu fermer l'œil de la nuit, et venait à peine de s'assoupir quand le réveil avait sonné à cinq heures.

Elle s'était levée alors que les premières lueurs de l'aube ne parvenaient que faiblement à filtrer par la fenêtre entrouverte. Toutefois, la joie qu'elle éprouvait à la perspective de préparer ce pique-nique avait achevé de la réveiller et elle avait sauté du lit sitôt le premier tintement de la sonnerie.

Tout en prenant un rapide petit déjeuner, elle avait réfléchi aux divers mets dont elle disposait afin d'être sûre de ne rien oublier. Elle avait étalé fièrement sur la table le caviar de Norvège, les tranches de saumon fumé, le confit de canard et quelques bons fromages importés de France. Songeant que ce pique-nique ne pouvait être complet sans une minutieuse préparation, elle avait délaissé les gobelets en plastique et les plats en carton au profit des couverts en argent et des très belles assiettes de porcelaine. Sans oublier bien sûr la nappe damassée, les deux chandeliers en argent et les verres de cristal.

Elle avait enfin rangé le tout dans un grand sac à dos mais, celui-ci s'avérant insuffisant, avait dû également prendre le sac de voyage en cuir pour y loger le reste.

— N'ai-je rien oublié ? s'était-elle demandé, jetant un regard circulaire autour d'elle avant de refermer, satisfaite, la porte de la maison sur elle.

Ils atterrirent à l'aéroport de Brunswick où une voiture de location les attendait. Tandis que Ryan s'occupait de signer les papiers d'assurance, Stan transporta les sacs dans le coffre de la voiture bleue.

— Mon Dieu que c'est lourd ! s'exclama-t-il à nouveau. Mais qu'avez-vous bien pu emporter là-dedans, Miss Addison ?

Rosemary posa son index sur sa bouche en regardant, inquiète, en direction de Ryan.

— Chhhht... Je veux lui faire une surprise, confia-t-elle en souriant. C'est un pique-nique. J'espère qu'il aura assez faim pour que je n'aie pas à supporter de nouveau ce poids au retour !

— Eh bien... Il va lui falloir un appétit d'ogre, si vous voulez mon avis !

— Pourquoi ? demanda Ryan qui, les papiers à la main, revenait du bureau de location.

— Rien rien... s'empressa d'intervenir Rosemary. A bientôt Stan, et bon retour.

Ryan raccompagna rapidement Stan à l'avion, puis vint la rejoindre dans la voiture.

— Mais de quoi parliez-vous ? s'enquit-il.

— Tu es plus curieux qu'une pie ! protesta-t-elle gentiment en fronçant les sourcils. Inutile d'insister, je ne te le dirai pas, même sous la torture... Le trajet est-il long jusqu'à St Mary's ?

— Moins d'une heure... Mais c'est encore beaucoup trop long si tu ne viens pas près de moi...

Rosemary posa sa tête contre son épaule tandis qu'il conduisait. Elle se sentait bien, respirant l'odeur de sa peau chaude. Ryan ne cessait de lui sourire, et elle eut soudain l'impression qu'il brûlait d'envie de lui révéler quelque chose.

Elle aussi avait une surprise, songea-t-elle en se lovant plus étroitement contre lui. Mais son visage se rembrunit soudain à l'insu de Ryan. Ce n'était pas une, mais deux surprises qu'elle lui réservait. Et Ryan risquait fort de ne pas apprécier celle qui concernait son altercation de la veille avec Charles...

— Je crois que tu aurais bien besoin d'un café... remarqua-t-il en se penchant pour embrasser ses paupières closes.

— Mmmmh... Il vaut mieux, sinon je risque de ne pas être d'une compagnie très agréable...

Ils s'arrêtèrent dans un restaurant du port et s'installèrent à une table de formica rouge. Une serveuse vint prendre leur commande d'un pas traînant, énumérant les mets disponibles sur la carte à cette heure de la journée, en essuyant machinalement la table d'un torchon douteux.

— La journée s'est-elle bien déroulée pour toi à l'atelier, hier ? s'enquit-il lorsqu'ils se retrouvèrent seuls. As-tu terminé ta dernière création ?

Rosemary prit alors une forte inspiration et, s'efforçant de garder un calme impassible, lui relata la conversation qu'elle avait eue avec Charles. Mais, bien qu'elle ait volontairement passé sous silence les propos désagréables qu'ils avaient échangés, elle vit un nuage assombrir le regard de Ryan. Il semblait brusquement se contrôler pour ne pas exploser, et les muscles de sa mâchoire restèrent crispés durant tout son récit.

— Rosie... commença-t-il.

— Non, Ryan, le coupa-t-elle. Avant que tu ne dises quoi que ce soit, j'aimerais préciser que je ne veux pas que tu te sentes responsable de moi. Je sais bien que tu ne m'as amenée dans le Sud que parce que tu pensais que j'avais besoin de changement.

Elle posa une main sur la sienne, que Ryan prit aussitôt entre les siennes.

— Ce n'était pas la seule raison, Rosie.

— Je n'exigerai pas d'honorer mon contrat jusqu'au bout, Ryan. Tout ce que je peux faire, c'est m'excuser, partir...

Ryan la regarda intensément tandis que la serveuse déposait leurs cafés devant eux.

— Si je comprends bien, murmura-t-il enfin, tu es prête à t'enfuir à New York à la moindre difficulté.

Lentement, comblant l'impérieux besoin de lui dissimuler sa vulnérabilité, une colère fulminante s'empara de Rosemary. Elle eut la sensation que tous les obstacles qu'elle avait dû surmonter pour s'adapter à cette vie rustique revenaient à sa mémoire. Sa fureur s'amplifiait à mesure qu'elle revivait ses frustrations, ses déceptions et ses tourments.

— Je ne m'enfuis pas ! déclara-t-elle avec une rage froide. Comment oses-tu m'accuser ainsi ? Ton précieux collaborateur m'a clairement laissé entendre que j'étais indésirable, que mes dessins ne se vendraient pas, que je n'étais pas assez compétente !

Le ressentiment de Ryan s'était totalement évanoui devant celui de Rosemary, au profit d'un étonnement incrédule. Mais il commit malheureusement une erreur

impardonnable : il osa rire devant cette furie qui, perdant toute mesure, martelait ses propos de coups de
poings rageurs sur la table.

Rosemary se raidit abruptement, et le fixa d'un regard
chargé de mépris.

— Autre chose. J'ai reçu une lettre d'une société
française qui m'invite à créer le motif de leur nouvelle
gamme de literie, lâcha-t-elle comme un défi. Je l'ai
trouvée hier dans le courrier. C'est une proposition très
flatteuse...

Le rire de Ryan s'étrangla dans sa gorge. Durant un
instant, il étudia Rosemary pensivement.

— Veux-tu dire que tu envisages sérieusement d'accepter cette offre ? demanda-t-il calmement.

— Ce n'est pas impossible...

— Mais, Rosie... commença-t-il en appuyant ses coudes sur la table. Si tu savais tout cela, pourquoi avoir
accepté de m'accompagner ?

— Je le regrette bien, crois-moi ! s'exclama-t-elle un
peu trop fort. J'ai beaucoup de mal à te quitter, Ryan,
mais il faut que je rentre à la maison.

— Quelle maison ? murmura-t-il.

Mon Dieu, si seulement elle pouvait enfouir son visage
dans son cou, pleurer toutes les larmes de son corps. Mais
non...

— *Ma* maison, se contenta-t-elle de dire. A New
York.

Une indicible tristesse passa fugitivement dans le
regard de Ryan qui blêmit brusquement. Ils s'affrontè-
rent un long instant en silence, conscients tous deux que
leur relation abordait un tournant décisif.

— Je suis navré pour toi, lâcha-t-il d'un ton sec, mais
tu es bloquée ici pour le reste du week-end. J'ai congédié
Stan jusqu'à lundi.

A cet instant, une voix forte résonna depuis le seuil du restaurant.

— Y a-t-il des passagers pour le ferry ?

Tous deux tournèrent la tête vers l'homme maigre aux cheveux gris qui scrutait la salle de ses yeux bleus délavés par le soleil.

— Nous partons dans cinq minutes, lança-t-il à la cantonade.

— Allons-y, dit Ryan en jetant un billet sur la table.

Le voyage en ferry ne dura que quarante-cinq minutes et se révéla insuffisant pour apaiser le climat d'hostilité qui s'était instauré entre eux.

Après une heure de marche pour rejoindre le camp de camping, le visage de Rosemary était cramoisi et brillant de transpiration. Elle respirait comme un soufflet de forge, agitant les mains dans de grands gestes désordonnés et exaspérés pour chasser les moustiques et les mouches qui semblaient prendre un malin plaisir à la harceler.

— Nous sommes presque arrivés, la rassura Ryan en jetant un regard de commisération sur le tableau pitoyable qu'elle offrait.

Au moins devait-il lui reconnaître une qualité : pas une seule fois, il ne l'avait entendue se plaindre. Il se retourna et sourit malgré lui. Rosie n'était certes pas le genre de femme à abandonner ce qu'elle entreprenait. Elle s'était même, durant tout le chemin, refusée à ce qu'il l'aide à porter son sac, en dépit des efforts presque insurmontables qu'elle fournissait visiblement pour progresser sous ce poids.

Mais depuis quelque temps déjà, Ryan percevait un grondement sourd qui, de seconde en seconde, se rapprochait d'eux. Soudain, son sang se glaça. Derrière lui, il entendit deux hurlements : celui d'un animal et celui d'une femme, suraigu.

Il se retourna d'un bloc. Dans sa frayeur, Rosemary avait trébuché et il courut vers elle à perdre haleine. Passant un bras autour de sa taille, il la tira à l'abri d'un arbre. Elle tremblait de tous ses membres et sa terreur l'empêcha d'apprécier la beauté de la trentaine de chevaux sauvages qui passèrent en galopant devant eux.

L'étalon qui courait à la tête du troupeau avait probablement poussé ce cri quelques secondes plus tôt plus pour avertir Rosemary que pour l'effrayer.

Protégée par le cercle rassurant des bras de Ryan, Rosemary regarda disparaître la dernière des juments au détour du chemin. Leur liberté et leur bonheur l'avaient fortement impressionnée mais le hurlement du cheval de tête l'avait effrayée au plus haut point.

— Prête ? lui demanda doucement Ryan en se relevant. Il ne nous reste plus qu'une centaine de mètres à parcourir.

La colère de Ryan avait diminué d'intensité, mais Rosemary était encore trop choquée pour pouvoir parler.

Hochant silencieusement la tête, elle se remit en route.

Le terrain de camping était presque plein, mais Ryan cependant parvint à leur trouver un endroit relativement tranquille et à l'écart.

Après l'avoir aidée à se débarrasser de son fardeau, Ryan vit Rosemary se laisser tomber sur l'herbe, bras en croix et yeux fermés.

— Tu as déménagé la cuisine, ce n'est pas possible ! s'exclama-t-il en riant.

Rosemary entrouvrit les yeux et, trop épuisée pour répondre, se dirigea lentement vers les douches pour s'y rafraîchir.

Pendant son absence, Ryan installa le pique-nique dans un endroit calme, à l'abri des yeux indiscrets. Lorsque Rosemary revint, les paupières alourdies de sommeil, il avait étalé la nappe damassée et y avait disposé les différents mets délicats qu'elle avait eu tant de mal à transporter. De part et d'autre de cette table improvisée trônaient les lourds chandeliers en argent.

— Tu me parais en meilleure forme, ma chérie, commenta-t-il, dissimulant un sourire.

Pour toute réponse, Rosemary prit place en face de lui et s'allongea. Bien vite, elle ferma les yeux et s'endormit profondément.

Ryan, pris de tremblements, ne put s'empêcher de rire aux éclats, d'un rire tonitruant et bruyant que même Rosemary aurait dû entendre du fond de son sommeil...

— Mon Dieu que je t'aime, Rosemary Addison, murmura-t-il.

Rosemary ne sut pas ce qui la réveilla. Peut-être le cri d'un oiseau... Elle ouvrit à demi les paupières et s'étira paresseusement. Soudain, ses yeux s'ouvrirent en grand et elle releva brusquement la tête. Lorsque son regard embrassa les restes du repas de Ryan à l'extérieur de la tente, elle poussa un profond gémissement et enfouit son visage dans le cou de son compagnon.

Ryan ? Mais qu'avait-il dû penser d'elle en découvrant l'extravagance du pique-nique qu'elle avait préparé ? Elle avait voulu le prévenir que puisqu'il aimait vivre en plein air et qu'elle était romantique, ils pouvaient associer ces deux plaisirs. Ils auraient ri ensemble, ils auraient fait l'amour et peut-être — seulement peut-être — cette nuit aurait-elle produit des miracles.

Maintenant, elle était au creux de ses bras, à l'intérieur d'un sac de couchage, sans aucun souvenir de la manière dont elle était arrivée jusque-là. Elle recula légèrement pour contempler le visage de Ryan et avec étonnement, croisa son regard gris.

— Tu es réveillé ? demanda-t-elle inutilement.

Tous deux se mirent à parler simultanément.

— Ryan, je...

— Rosie, je...

Ryan couvrit ses lèvres du bout des doigts.

— Laisse-moi parler le premier. Parce que ma question est la plus importante du monde pour moi... Est-ce que tu veux m'épouser ?

Les yeux bleu foncé de Rosemary s'agrandirent d'étonnement et s'embuèrent de larmes.

— Mais... marmonna-t-elle, luttant contre la pression des doigts de Ryan sur ses lèvres.

— Tout peut s'arranger, Rosie, tout, je le répète... Seulement, je veux... j'ai besoin de connaître tout de suite ta réponse.

Rosemary hocha vigoureusement la tête.

— Je t'aime, murmura-t-il, avant de s'emparer de ses lèvres avec une infinie douceur.

— Et moi, Ryan, j'ai enfin repris mes esprits après cinq ans de stupidité. Je t'aime aussi, mon chéri.

Sa voix était enrouée par les larmes au souvenir de ces années perdues.

— J'avais tellement peur, Rosie, tellement peur de t'ouvrir mon cœur une deuxième fois... Mais tu m'as appris des secrets sur l'amour que je ne connaissais pas. Par exemple, de ne jamais abandonner, même lorsque tout est contre vous. Peut-être que si je n'avais pas capitulé si facilement il y a cinq ans...

Son bras s'insinua autour de la taille de Rosemary et il l'étreignit follement.

— Rosie, à propos de cette lettre des Français... ?

— A ton avis ? demanda-t-elle avec un sourire énigmatique.

Intérieurement, elle rit et, se dégageant, alla fouiller

au fond de son sac à dos. Elle revint avec une enveloppe. Elle portait l'adresse d'une compagnie française.

Ryan leva un regard interrogateur vers elle.

— Ouvre-la, l'encouragea Rosemary. Je ne l'ai pas postée parce que je ne savais pas combien de timbres je devais mettre...

Ryan déchira l'enveloppe et lut silencieusement la lettre.

— Pouquoi m'as-tu laissé penser que tu avais accepté ? demanda-t-il enfin, une trace de douleur dans la voix. Est-ce que tu sais combien je souffre à l'idée que tu aurais pu partir, me quitter ?

Rosemary se mordit la lèvre inférieure et posa à son tour deux doigts sur sa bouche.

— Comment l'aurais-je su, Ryan ? Tu ne me l'as jamais dit. Depuis le départ, tu ne cesses de me répéter que si jamais il t'arrivait de m'aimer à nouveau, tu t'en défendrais jusqu'à étouffer ce sentiment.

A ces mots, Ryan se détourna et chercha quelque chose au fond de son sac. Avec un sourire radieux, il lui tendit son poing fermé. Lentement, elle dénoua ses doigts.

Dans la paume, elle aperçut alors un saphir éclatant, serti d'or blanc et entouré de petits diamants.

Pétrifiée, elle releva lentement la tête vers lui et plongea les yeux dans les siens.

— Tu.. tu avais cette bague depuis le début ?

— J'avais prévu de te la donner la nuit dernière. Et puis, stupidement, nous nous sommes disputés et j'ai cru que je t'avais perdue pour toujours.

Doucement, il glissa l'anneau à son doigt et l'attira contre lui.

— J'ai tout arrangé. Je n'ai pas besoin de retourner à l'usine avant une semaine. Stan viendra nous chercher cet après-midi et nous conduira aussitôt à Las Vegas, si tu décides de m'épouser.

— Ryan ! Tu connais déjà ma réponse...

Ce ne fut qu'une fois que l'avion survolait le fleuve Mississippi que Rosemary réalisa qu'elle n'avait qu'un jean à porter pour son mariage.

Mais comment ce détail — insignifiant à présent — aurait-il pu ternir son bonheur ?

Découpez et retournez à: Service des livres Harlequin
P.O. Box 2800, Postal Station A
5170 Yonge St., Willowdale, Ont. M2N 6J3

Certificat de cadeau gratuit

OUI, envoyez-moi le ROMAN GRATUIT "AUX JARDINS DE L'ALKABIR" de la Collection *HARLEQUIN SEDUCTION* sans obligation de ma part. Si après l'avoir lu, je ne désire pas en recevoir d'autres, il me suffira de vous en faire part. Néanmoins je garderai ce livre gratuit. Si ce livre me plaît, je n'aurai rien à faire et je recevrai chaque mois, deux nouveaux romans *HARLEQUIN SEDUCTION* au prix total de 6,50$ sans frais de port ni de manutention. Il est entendu que je peux annuler à n'importe quel moment en vous prévenant par lettre et que ce premier roman est à moi GRATUITEMENT et sans aucune obligation.

NOM _____

(EN MAJUSCULES, S.V.P.)

ADRESSE _____ APP. _____

VILLE _____ PROV. _____ CODE POSTAL ☐☐☐ ☐☐☐

SIGNATURE _____
(Si vous n'avez pas 18 ans, la signature d'un parent ou gardien est nécessaire.)

Cette offre n'est pas valable pour les personnes déjà abonnées. Prix sujet à changement sans préavis. Nous nous réservons le droit de limiter les envois gratuits à 1 par foyer.

394-BPD-6AEF   SD-HRS-BB YR

Achevé d'imprimer en mars 1986
sur les presses de l'imprimerie Bussière
à Saint-Amand (Cher)

— N° d'imprimeur : 592. —
— N° d'éditeur : 1036. —
Dépôt légal : avril 1986.

Imprimé en France